Maude Veilleux est née en Beauce en 1987. Elle a publié plusieurs fanzines ainsi que deux recueils de poésie : *Les choses de l'amour à marde* et *Last call les murènes* aux Éditions de l'Écrou. *Prague* est son deuxième roman publié chez Hamac. *Le Vertige des insectes* a fait partie de la liste préliminaire du Prix des libraires du Québec. Elle vit et travaille à Montréal.

PRAGUE

Maude Veilleux

Prague

roman

Les éditions du Septentrion remercient le Conseil des Arts du Canada et la Société de développement des entreprises culturelles du Québec (SODEC) pour le soutien accordé à leur programme d'édition, ainsi que le gouvernement du Québec pour son Programme de crédit d'impôt pour l'édition de livres.

H
h a m a c

Financé par le
gouvernement
du Canada | Canadä

Hamac est une division des éditions du Septentrion.

Direction littéraire : Éric Simard
Coordination éditoriale : Marie-Michèle Rheault
Révision : Julie Veillet
Maquette de la couverture : Kim Dagenais
Mise en pages : Pierre-Louis Cauchon
Photographie de la couverture : Lou Scamble/Melondchatte

Si vous désirez être tenu au courant
des publications de HAMAC
vous pouvez nous écrire par courrier,
par courriel à info@hamac.qc.ca
ou consulter notre catalogue sur Internet :
www.hamac.qc.ca

© Les éditions du Septentrion   Diffusion au Canada :
835, av. Turnbull   Diffusion Dimedia
Québec (Québec)   539, boul. Lebeau
G1R 2X4   Montréal (Québec)
                                     H4N 1S2

Dépôt légal :
Bibliothèque et Archives
nationales du Québec, 2016   Ventes en Europe :
ISBN papier : 978-2-89448-872-0   Distribution du Nouveau Monde
ISBN PDF : 978-2-89448-220-9   30, rue Gay-Lussac
ISBN EPUB : 978-2-89448-221-6   75005 Paris

Nous avions commencé à parler de partir à Prague à la blague. Nous étions dans un bar, avions déjà bu pas mal. Je lisais *Vérité et amour* de Claire Legendre. Il adorait Milan Kundera. J'avais toujours rêvé de Prague sans trop savoir pourquoi. L'idée était venue comme ça. Nous avons payé nos verres, dit au serveur que nous partions en voyage la semaine suivante. Nous sommes sortis, avons traversé la rue jusqu'à son appartement et avons acheté les billets.

Nous ne nous connaissions pas beaucoup. Nous travaillions ensemble dans une librairie. J'étais sa patronne.

Après avoir acheté les billets, nous nous sommes assis sur son lit. Il a mis de la musique. Nous avons parlé. Il essayait de s'approcher. J'hésitais. J'avais la tête appuyée au mur. Je fuyais son regard. J'avais très envie de lui, mais j'avais mes règles. Je me sentais stupide de n'avoir pas annulé notre rencontre. Je ne pouvais pas penser à la reporter à la semaine suivante. J'avais besoin de ma dose de lui. Il a trouvé un chemin jusqu'à moi. Il est venu coller son front sur le mur. Nous nous sommes embrassés. Longtemps. Il essayait de glisser ses mains entre mes cuisses. De geste en geste, j'ai fini par me coucher sur le dos. Lui, sur moi. Je portais une robe noire en coton. Je l'avais depuis des années. En fait, elle appartenait à ma mère. Je l'avais volée dans sa garde-robe. Je me souviens d'une photo de famille où elle la portait. Je devais avoir douze ans. Elle était très belle dans cette robe. Avec les années, le noir avait pâli, mais je l'aimais encore. Elle était très courte et avait deux trous sur les côtés. On voyait mon flanc. Un faux mouvement a fait craquer une couture. Je lui ai dit qu'il pouvait la déchirer. Il a glissé ses mains dans les trous et a tiré. La robe s'est ouverte complètement à l'avant. J'ai passé ce qui restait par-dessus ma tête et je l'ai lancé au sol pendant qu'il dégrafait mon soutien-gorge. Il a dit : il était temps que tu sois nue.

J'ai ri. Nous nous regardions. Nos yeux verts. Puis, il a fini par comprendre que j'étais menstruée. Je lui ai dit : je me sens conne. J'aurais dû rester chez moi.

Il a dit : mais non.

J'ai dit : es-tu fâché si on ne couche pas ensemble ?

Il a dit : non, je ne suis pas du genre à me fâcher pour ça.

Nous nous sommes embrassés de nouveau. J'ai défait sa ceinture. Il était bandé. J'ai commencé à le sucer. Il flattait mon dos. Sa main glissait sur ma peau jusqu'à mes fesses. Il a commencé à me rentrer un doigt dans le cul.

Il a dit : est-ce que ça va ?

J'ai dit : oui, mais ça me déconcentre.

J'ai fini par arrêter de le sucer. Je l'ai embrassé. Il a mis son doigt dans sa bouche, puis dans la mienne, et est retourné dans mon cul. Il en a mis deux. Je me suis retournée contre lui. J'en voulais plus. Il a fait semblant d'avoir peur de me faire mal. Je l'ai fait entrer en moi. J'avais la main sur sa queue. Je poussais doucement mon bassin vers lui. Puis, il a repris le contrôle. À quelques reprises, j'ai placé ma main sur sa hanche. Il ralentissait. Quand je l'ai pincé, il a dit : est-ce que tu aimes ça ou je te fais mal ?

J'ai dit : les deux en même temps.

Personne n'a eu d'orgasme ce soir-là. Il a dit : j'ai de la difficulté à jouir pendant l'acte.

Je n'ai pas répondu. Je ne savais pas quoi dire. Je trouvais surtout ça dommage pour lui. J'ai douté un peu de moi. Peut-être que je n'étais pas son genre. Je suis allée aux toilettes. Il y est allé aussi. Il a ramené des verres d'eau. Nous nous sommes couchés. C'était la deuxième fois que nous baisions.

Le matin, nous travaillions tous les deux à la librairie. Nous étions inquiets d'arriver en même temps et d'éveiller des soupçons. Nous avions convenu d'un plan. J'allais sortir par la droite et prendre l'autobus pour me rendre au coin de Laurier et Parc. Il irait vers la gauche et marcherait jusqu'à la librairie.

Le plan s'était déroulé à merveille.

La première fois que nous avions couché ensemble, nous nous étions donné rendez-vous dans un bar. Nous avions parlé. Beaucoup parlé. Il était du genre anxieux et plein de culpabilité. Il voulait en savoir davantage sur la situation avec mon mari. À peine un an et demi après mon mariage, nous décidions, chacun de notre côté, d'aller voir ailleurs. Nous ne doutions pas de notre amour réciproque. Les relations sexuelles extraconjugales n'entacheraient pas notre couple.

Nous étions dévoués l'un à l'autre. J'essayais d'expliquer la situation. Je ne cherchais pas une porte de sortie. Je n'avais aucunement l'intention de m'immiscer dans sa vie. Je ne voulais pas faire l'épicerie avec lui. Je ne voulais pas l'aider à décorer son appartement. Je ne voulais pas rencontrer sa famille. Je voulais l'embrasser, le faire rire, le sucer, boire de l'alcool, déconner, mais surtout baiser. Baiser beaucoup.

Je sentais sa peur. Sa peur de gâcher mon couple. Je le trouvais naïf, mais beau.

Après deux pintes de bière, nous avons marché jusque chez lui. Il a fait des blagues. Il trouvait que j'avais l'air d'une lesbienne. J'étais bien à l'aise avec l'idée, puisque j'en étais presque une.

Nous sommes rentrés. Son colocataire était là. Il mangeait un bagel dans la cuisine. Nous lui avons parlé un moment. Je le connaissais un peu, je l'avais rencontré dans quelques soirées. Je savais qu'il n'approuvait pas notre relation naissante sans vraiment essayer de l'empêcher. J'avais peur de m'imposer. Je les ai laissés discuter pendant que j'allais aux toilettes. Étrangement, la salle de bain était différente dans mon souvenir. J'avais vomi là quelques semaines plus tôt. J'avais en tête que le plancher était en bois, que la cuvette était en face de l'évier.

Quand je suis sortie, son colocataire n'était plus là.

Nous sommes allés dans sa chambre. Il a mis de la musique. Je me suis penchée pour regarder ses livres. Il m'a prise par-derrière, m'a attirée vers le lit. J'avais très envie de lui. Je voyais qu'il avait envie aussi, mais il avait encore peur. Nous nous sommes embrassés. Je le découvrais plus tendre que je l'imaginais. Il embrassait bien. Il parlait beaucoup. Il a dit : à qui est-ce que tu appartiens ?

J'ai trouvé la question maladroite, mais touchante, comme s'il ne voulait pas prendre ce qui ne lui revenait pas. J'ai dit : je m'appartiens.

J'étais nue. Il me scrutait. Il a dit : tu es la fille la plus féminine avec qui j'ai été.

Il était nu aussi. Il ne bandait pas. Il semblait anxieux. Je savais qu'il pensait à mon mari. Je l'ai entendu murmurer : j'aurais dû démissionner.

J'ai dit : pourquoi ?

Il a dit : parce que je ne voudrais pas croiser ton mari à la librairie.

Il embrassait mes mains. Il suçait mes doigts. Il a dit : quand on travaille ensemble et que tu pars dans ton bureau, je compte les minutes avant que tu reviennes.

J'aimais sa présence. J'aimais être avec lui même si j'avais compris que nous n'aurions pas de sexe torride. J'aimais sa façon de me toucher. De me regarder.

Personne n'a eu d'orgasme ce soir-là. Ç'a été difficile de m'extraire de ses bras. Avant de partir, j'avais caché *L'invention de la mort* d'Hubert Aquin sous son lit. Il ne l'avait jamais lu. J'avais pensé qu'il aimerait. Je lui trouvais des ressemblances avec le héros.

Je suis sortie par la porte de derrière et j'ai appelé un taxi. Nous étions à la mi-novembre.

Je l'avais invité au party du Salon du livre. J'avais beaucoup insisté pour qu'il vienne. Il était arrivé avec ses colocataires. Ça m'allait, je n'aurais pas à le divertir. J'étais ivre. Je m'étais imposé une limite de consommation. La semaine d'avant, j'avais perdu la carte dans une fête ; j'avais été malade avant de m'endormir sur le plancher.

Nous avons dansé. Vers la fin de la soirée, nous nous sommes retrouvés autour d'une table haute. Nous parlions très près l'un de l'autre. Nous ne savions pas tout à fait ce qu'il se passait. J'avais envie de lui. J'étais aussi hésitante. Il a dit : tu es mariée.

J'ai dit : ça ne pose pas problème. Ce qui pose problème, c'est le fait que je sois ta *boss*.

Il a dit : tu me dis que ce n'est pas un problème avec ton mari.

J'ai dit : je te le dis.

Il a dit : c'est le travail ?

J'ai dit : oui.

Il m'a embrassée. J'étais surprise, mais heureuse. Surtout heureuse. Pendant plus d'une vingtaine de minutes, nous sommes restés comme des adolescents à nous embrasser et à nous caresser. J'adorais qu'il frotte son index sur mes seins. Une amie poète est venue nous interrompre. Elle a dit : fais-tu des conneries ?

J'ai dit : non.

Elle a dit : tu n'as pas besoin que je te sauve ?

J'ai dit : non.

Nous avons ri. Nous nous sommes embrassés encore un peu. Je travaillais le lendemain. Je devais rentrer. Je suis partie chancelante vers la sortie. J'ai croisé mon éditeur. Nous nous sommes souhaité une bonne soirée. Je sentais que j'avais un sourire niais sur les lèvres. Il était collé là. J'avais seize ans à nouveau. Mon éditeur a dit : es-tu correcte pour rentrer chez toi ?

J'ai dit : oui.

L'entente avec mon mari était simple, mais nécessaire à la survie du couple ouvert. Nos relations
extraconjugales ne devaient pas nuire à notre
couple. Pas le droit de tomber amoureux ni de
découcher. Il fallait choisir des gens que l'autre
n'aurait pas à côtoyer. Il y avait aussi la liste de
gens interdits. La sienne était plus longue que la
mienne. Probablement parce que j'avais une tendance à la jalousie plus prononcée. Pour l'instant,
tout était sous contrôle.

J'avais amené l'idée. Guillaume en avait
discuté souvent dans le passé, mais je n'étais pas
prête à faire le pas. J'avais déjà eu de mauvaises
expériences lors d'une relation précédente. Je
connaissais un peu l'histoire. J'étais réticente.
Comme Guillaume aimait aussi coucher avec des
hommes, quand ce fut à mon tour d'avoir envie
de tenter l'expérience, il a accepté.

Nous avions une vie sexuelle active, encore
agréable. Assez divertissante. Nous pensions
passer notre vie ensemble. Nous nous disions
qu'il fallait utiliser nos corps, en profiter pendant
qu'il en était encore temps. Et, qu'est-ce que ça
représenterait quelques amants sur une vie passée
ensemble ?

J'étais arrivée chez lui un peu en retard. Un retard poli. Il était de mauvaise humeur pour une raison obscure. J'avais eu l'idée, très conne, de prendre un demi-*speed* avant de le rejoindre. Je m'endormais, je voulais me réveiller. J'étais devenue hyperanxieuse. J'essayais de le cacher. Nous avons traversé la rue pour aller au bar. Nous nous sommes assis sur une banquette. Nous étions côte à côte comme font les Européens. J'aimais l'idée. Nos genoux se frôlaient. Je bégayais, j'avais du mal à avoir une conversation soutenue. Je sentais ma gorge serrée. J'ai fini par lui avouer que j'avais pris un peu de pilule. Il a ri. Je pense qu'il trouvait que ça collait avec le personnage. Il a commandé pour moi. J'ai adoré. J'avais envie d'être ça pour lui, une petite chose soumise. Celle qui boira ce qu'il choisira. La bière m'a calmée un peu. Nous avons discuté. J'ai dit : qu'est-ce que tu veux dans la vie ?

Il n'a pas répondu tout de suite. Il hésitait. J'ai dit : qu'est-ce que tu veux qu'il arrive ? Qu'est-ce que tu souhaites ?

Il a dit : à court terme, je veux une meilleure *job*. Ensuite, je voudrais faire quelque chose avec ce que j'ai. (Je crois qu'il parlait de produire du contenu créatif. Écrire.) Je veux profiter de ma jeunesse. Je veux voir mes amis.

Sa bière descendait plus vite que la mienne. Je passais trop de temps à déglutir et à me brasser la mâchoire de gauche à droite : réflexe dû au *speed*.

Il s'est approché de moi. Il a dit : quand on t'embrasse, tu changes. Ta voix change. Ton attitude change. Ça me fascine.

Il ne m'a pas embrassée parce que je me suis mise à parler d'autre chose. J'étais intimidée. Nous avons fini nos verres. J'ai payé. C'était plus simple. Nous avons traversé chez lui. Son coloc écoutait de la musique. Nous avons parlé avec lui. J'ai déposé mon manteau sur la même chaise que les fois précédentes. J'ai dit : regarde, je commence à avoir mes habitudes.

Il a dit : commence pas ça.

J'ai ri. Nous avons ouvert la bouteille de vin que j'avais apportée. Il s'est pris une bière. Nous sommes allés dans la chambre. Il a mis de la musique. Je me suis assise sur le lit. Il est venu s'asseoir près de moi. Nous nous sommes embrassés. J'aimais sa langue, ses lèvres. Il caressait mes jambes. Il a dit : tu es belle.

Je n'ai rien répondu. Je l'ai embrassé. Il a placé mes jambes derrière sa tête. Nous avons parlé dans cette position. Il a dit : comment ça marche votre affaire ?

J'ai dit : je comprends pas.

Il a dit : vous vous le dites ? En passant, la semaine dernière, j'ai couché avec une fille.

J'ai dit : non, on se le dit avant. Il sait que je suis avec toi.

Henry Lee de PJ Harvey et Nick Cave a commencé à jouer. J'adorais cette chanson. J'ai fini mon premier verre de vin. Il est allé m'en chercher un autre. J'étais allongée sur le dos. Il a mis le verre sur mon front. Il tenait en équilibre. Je ne bougeais pas. Il s'est approché pour m'embrasser. J'avais toujours le verre sur le front. Il m'a versé du vin dans la bouche. Il m'a embrassée. Le contraste du vin froid et de sa langue chaude. Le goût. Je commençais à être saoule. La tête me tournait. Je n'avais rien mangé pour souper. Probablement presque rien pour dîner. J'ai dit : je me sens pas bien.

Il a approché la poubelle. Je suis partie aux toilettes. J'avais une tête à faire peur. Je suis revenue dans la chambre. J'ai dit : j'ai pas été malade.

Il avait ouvert les draps. Je me suis allongée. Je me suis endormie.

Deux heures plus tard. Il a dit : il est tard, est-ce que tu dois vraiment rentrer chez toi ?

J'ai dit : oui.

J'ai regardé mon cellulaire. Il était dépassé cinq heures. J'ai essayé de me lever, mais j'étais trop bien. Nous nous sommes embrassés. J'avais envie de lui. J'avais envie de coucher avec lui, de le sentir. De le sentir de l'intérieur. J'étais confuse. Trop confuse pour faire l'amour. J'ai dit : je ne sais plus où je commence et où tu finis. Nous sommes une même chose.

J'ai réussi à m'extirper. Je me suis habillée. J'ai dit : tu es vraiment beau.

Il a souri. J'ai dit : reste dans ton lit. Je vais appeler un taxi.

Je suis sortie. J'ai attendu le taxi sur le trottoir. Il neigeait. Le taxi est arrivé.

Le lendemain, j'ai lu cette phrase dans le roman de Claire Legendre : « Il n'y avait plus qu'à s'abîmer dans le sommeil, entre deux moitiés d'homme qui finissaient par former un seul grand fantôme intouchable*. »

⌣

Je gardais l'appartement et le chat d'une amie pour deux jours. C'était pratique pour elle et pour moi, puisque l'appartement était situé à côté de la librairie. Je l'avais invité à venir me rejoindre après son quart de travail. Il avait hésité. Il était nerveux. Puis, avait accepté. Je me doutais qu'il

---

* Claire Legendre, *Vérité et amour*, Grasset, 2013.

viendrait. Il est arrivé à dix-sept heures trente. Il est entré, a fait le tour de l'appartement plusieurs fois. Il était curieux. Je lui ai offert une bière. Il en a pris une. Il avait l'air content. J'avais fait un bon choix au dépanneur. Le chauffage était fermé dans toutes les pièces de l'appartement sauf dans la chambre. Nous étions au salon, enveloppés dans une couverture. Nous avons parlé. Il avait soupé avec sa famille la veille. Il me racontait des histoires sur l'adolescence difficile de ses sœurs. Je m'y reconnaissais. Ça me charmait de penser qu'il pouvait comprendre mes travers. Enfant, il était très proche d'elles, dormait avec elles, était leur confident, les consolait, voulait se battre contre les garçons qui leur brisaient le cœur. Je savais que ses sœurs avaient marqué son imaginaire, influencé son rapport aux femmes. Nous avons terminé nos bières. Je suis allée en chercher d'autres. Il est allé à la salle de bain. J'ai décidé que nous continuerions dans la chambre. J'avais les doigts raidis par le froid. Il est sorti de la salle de bain. Je l'attendais sur le lit. Il a fait le tour de la pièce. Il a choisi quelques objets pour en parler, pour me dire que mes amis étaient différents des siens. Mes amis avaient des amandes sur leur table de chevet, mettaient leur routeur dans du papier d'aluminium, avaient une quarantaine de clés identiques sur un même porte-clés, avaient un arbre de poches de thé (dix ans de sachets de thé utilisés accrochés à un présentoir à calendrier.) Le chat est venu nous rejoindre. Nous nous sommes embrassés. Puis, déshabillés. Puis, je ne sais plus trop. Caresses, langues. J'avais des condoms dans mon sac. Il en a pris un. Il soufflait toujours dedans avant de l'enfiler.

Il m'a pénétrée. Il s'est arrêté pour aller aux toilettes. Il est revenu. Il a dit : hum, je pense que tu saignes. Il y avait beaucoup de sang sur le condom.

J'ai vérifié. Je saignais. J'ai pris un bout de mouchoir et je me suis fait un bouchon. J'ai vérifié les draps. Ça allait. J'ai dit : tu m'as détruit l'intérieur.

Il a dit : mais non, tu dois être menstruée.

J'ai dit : non. Attends, prête-moi mon ordinateur.

J'ai ouvert le calendrier. J'ai calculé. J'ai dit : non, impossible.

Nous avons recommencé à nous embrasser. Il ne voulait pas me faire mal. Se tenait loin de mon vagin. Il a préféré mon cul. Je commençais à comprendre qu'il n'aimait pas les condoms. Quand nous faisions du sexe anal, il n'en mettait pas toujours. J'ai dit : viens dans mon cul.

C'est ce qu'il a fait. Nous sommes restés collés. Il avait une soirée de prévue, devait être chez lui autour de vingt heures. Il était peut-être dix-neuf heures trente. Il ne regardait pas l'heure. J'ai dit : pourquoi est-ce que tu m'as demandé si j'étais endurante à la douleur ?

Il a dit : je sais pas.

J'ai dit : je le suis. Tu peux me faire mal.

Il a dit : j'ai peur de trop aimer ça.

J'ai dit : s'il te plaît.

Il m'a embrassée. Il m'a serré la mâchoire, puis m'a giflée. Ensuite, il s'est assis sur moi et m'a serré la gorge. J'arrivais tout de même à prendre de petites bouffées d'air. Il a tenu longtemps. Puis, j'ai pu respirer. Il a recommencé sept ou huit fois. Mes jambes tremblaient, bougeaient malgré moi. Chaque fois qu'il délestait son emprise, je prenais un grand coup d'air. Je voyais dans ses yeux qu'il aimait me voir dans cet état. Il serrait les dents. Il était bandé. Il s'est approché de mon visage et il a dit : ne meurs pas.

Je voulais qu'il ne me lâche jamais. Je voulais penser qu'il pouvait me tuer. Je voulais qu'il me serre la gorge encore pendant des années jusqu'à ce que je m'éteigne. Il a dit : tu es à moi. Regarde-moi.

Je l'ai regardé. J'ai regardé ses yeux verts. Puis, il a serré très fort. J'ai pensé qu'il devait m'aimer un peu.

Il est parti autour de vingt-deux heures. Le lendemain, il m'a dit qu'il aurait dû rester au moins une heure de plus. J'étais contente.

⌣

J'étais attirée par lui depuis notre première rencontre. Il était arrivé d'une autre succursale juste avant que je parte en congé sans solde. J'avais reçu une bourse pour écrire un recueil de poésie et je voulais me concentrer sur l'écriture. Je le trouvais très drôle. Je passais beaucoup de temps à discuter avec lui. Puisque je quittais mon emploi, j'étais nonchalante, je blaguais, je m'en foutais un peu. Il semblait fasciné par le fait que j'écrive (et que je publie). Au courant de l'été, nous nous textions parfois. Il me donnait des nouvelles de la librairie, me questionnait sur l'avancée de mon manuscrit. Je suis revenue au travail à l'automne. Nous avons tout de suite reconnecté. Nous ouvrions le magasin ensemble le dimanche matin. Nous passions beaucoup plus de temps à parler qu'à travailler. Un jour, je l'ai invité à venir chez moi pour prendre du *mush*. Nous avons passé la soirée à regarder nos mains et à rire. Je l'ai invité à rester pour la nuit. Il n'a pas compris que je voulais coucher avec lui. J'étais mariée. À ce moment, il ne savait rien de l'entente de mon couple. Il est rentré chez lui. J'ai dormi seule, Guillaume était à Québec pour un vernissage.

Une nuit, j'ai fait un rêve. J'allais le reconduire à l'aéroport. Je lui souhaitais bon voyage. Nous nous couchions dans le stationnement pour nous embrasser une première et dernière fois. Je lui disais : enfin, tu es là.

Il répondait : j'ai toujours été là.

Puis, nous devenions deux formes cubiques, pixélisées et colorées. Comme une espèce de gaz. C'était peut-être la représentation physique que mon cerveau donnait à l'âme. En nous approchant, nous nous dissolvions, nous annulions. Nous disparaissions.

J'ai fini par lui expliquer la situation avec mon mari. Nous avons commencé à coucher ensemble deux semaines plus tard.

⌣

J'ai écrit.

⌣

J'arrivais très bien à aimer deux hommes en même temps. J'avais mon mari et j'avais mon amant. Je ne sentais aucune culpabilité. Je ne mentais à aucun des deux, je gardais certains détails pour moi, mais je ne mentais pas. Mon amant me disait souvent : c'est impossible que ton mari ne soit pas jaloux.

J'adorais qu'il me dise cela. C'était le signe que ce que nous vivions avait de la valeur pour lui. Je lui répondais : il n'est pas du tout jaloux, ce n'est pas dans son caractère.

J'aimais l'équilibre, le travail que la situation demandait. Il fallait enrober la vérité pour que chacun se sente indispensable. C'était facile, puisqu'ils l'étaient. Ils m'étaient indispensables.

⌣

Je suis arrivée en premier au bar, le même qu'à l'habitude. J'ai reconnu la serveuse. Je l'avais déjà rencontrée dans un party où, encore une fois, j'avais pleuré, vomi, fait une conne de moi. Elle m'avait nettoyé le visage et les cheveux.

Je suis allée m'asseoir au comptoir, très loin d'elle. J'étais gênée. Il est arrivé. Il ne m'a pas cher-chée, m'a vue. Il a enlevé son manteau. Il portait un veston. J'ai trouvé ça étrange. Un veston, un mardi soir. J'ai dit : tu as mis un veston. Il a dit :

oui, pour t'impressionner. Maintenant, je peux l'enlever.

Il l'a déposé sur le dossier de sa chaise. J'avais déjà commandé une pinte. Il a pris la même chose. Le bar était plein. Nous avons bu. Il y avait un match de hockey à la télé. Il ne le regardait pas. Nous avons recommandé des pintes. En allant aux toilettes, j'ai dit bonsoir à la serveuse. Je commençais à être chaude, j'étais moins timide. Nous avons parlé un peu. Elle a dit : si tu es malade ce soir, fais-moi signe.

J'ai ri. Elle a ajouté : tes cheveux vont être plus rapides à nettoyer maintenant qu'ils sont plus courts.

J'ai ri encore. Je suis allée aux toilettes.

Je me sentais ivre et nerveuse. J'avais déchiqueté mon sous-verre. Il m'a parlé d'une fille. Il avait cette tendance à parler des autres filles. Ça m'agaçait un peu. Nous avons recommandé des verres. Je ne me sentais pas bien. J'ai fait quelques mauvaises blagues à la serveuse. Nous sommes partis, avons traversé jusque chez lui. Son colocataire n'était pas là. Nous nous sommes assis au salon. J'étais de mauvaise humeur. J'hésitais à quitter la pièce ou même l'appartement. Je me suis rappelé qu'il y avait quelqu'un à la maison avec Guillaume. Ç'aurait été complexe de partir.

Je serais allée où? À l'hôtel? Chez un ami? Je n'avais pas d'option. Je suis restée.

Il a fini par m'amener à la chambre. Nous avons baisé. J'ai dormi là.

⌣

J'avais fermé la librairie et j'avais couru acheter de la bière. J'étais arrivée chez lui autour de vingt-deux heures quarante. Comme d'habitude.

⌣

Nous avons fait attention de n'avoir aucun rapprochement lors de la soirée. C'était le party de Noël des employés.

Nous avions pris un taxi pour nous rendre chez lui. Nous sommes rentrés, avons parlé un peu. Il a commencé à me doigter. J'étais fatiguée. Lui aussi, même s'il ne voulait pas l'avouer. Je lui ai dit que nous pouvions remettre ça au lendemain. Il était d'accord. Nous nous sommes endormis entrelacés.

Je me suis réveillée en premier. J'ai pris une veste dans sa garde-robe, je suis allée aux toilettes. Je suis revenue. Il m'a embrassée sur le front. Nous avons redormi une ou deux heures. Je travaillais à quinze heures. Je devais passer chez moi pour prendre une douche et me changer. J'avais dit à mon mari que je rentrerais tôt. J'avais un gros dossier à terminer pour le mercredi suivant. J'essayais de m'extraire du lit sans succès. J'avais trop envie de ses bras et de sa bouche. Il s'est assis sur ma poitrine. Je me masturbais. Je suis venue. Pendant qu'il me chokait, il est venu sur mon visage et dans ma bouche. Le temps filait.

Nous sommes restés collés longtemps. J'avais encore envie de lui. Je crois qu'il avait envie de moi. Je devais partir. Il me gardait dans ses bras, ses yeux plantés dans les miens. Je suis finalement sortie. J'ai pris un taxi. Je me suis douchée. Je suis repartie vers la librairie. Il m'a textée : reviens.

J'ai répondu : oui.

Dans la soirée, il m'a envoyé des poèmes. J'étais touchée.

⌣

Le roman commençait à tourner en rond. Les gestes devenaient répétitifs. Cet ordre de choses que l'on fait pour se rapprocher ; les baisers, les accolades, les langues dans le cou, les mains sur les fesses, les vêtements qu'on enlève, les caresses, les doigts, les bouches, les mamelons. Il y avait la violence qui escaladait, mais même là, ce n'était pas assez. Il n'y avait pas encore de sentiments, pas d'attachement, pas de drames en vue. Que du sexe et quelques claques.

⌣

Le lancement s'était terminé à dix-neuf heures. J'avais trois heures à écouler avant de le rejoindre. J'étais dans un bar sur la Plaza Saint-Hubert, j'avais commandé une IPA. J'avais lu, mais surtout essayé d'écrire. Après ma bière, j'étais allée à la pharmacie, avais erré dans les rayons, acheté de la pâte à dents et des lingettes démaquillantes. J'étais partie vers chez lui. J'avais encore beaucoup de temps. Plutôt que de prendre le bus, j'avais marché. Comme il n'était toujours pas là, j'étais allée prendre une autre bière au bar en face de chez lui. Il était arrivé, avait commandé un verre. Nous avions regardé les filles à la table d'à côté. Avions essayé de leur trouver des occupations. Il avait mis son bras autour de mes épaules. Je me sentais comme une adolescente.

Chez lui, nous avons parlé à son colocataire. Nous avons bu un verre d'eau. Couchés dans le lit.

Musique. Nus. Doigt. Bouche.

Mis un condom. Rentré en moi. Enlevé le condom. *Henry Lee* de Nick Cave et PJ Harvey. Rentré dans mon cul.

Venue. Venu.

Baiser sur le front. Partagé une banane.

Il avait dit : j'ai failli venir dans le condom. Ce n'est pas arrivé depuis des années.

J'avais souri. Dormi collés. Réveillée avant lui. Toilettes. Recouchée. Réveillés ensemble. Baiser. Doigt. Bouche. Cunni. Son genou sur ma poitrine. Manque d'air. Ses mains autour de ma gorge. Venu dans ma bouche. Baisers. Dans ses bras longtemps.

Je lui ai proposé d'aller manger au restaurant, d'aller déjeuner. J'avais surtout envie d'un café. Nous nous sommes habillés. Il a regardé l'heure. Quatorze heures. Il a dit : il est un peu tard pour aller déjeuner.

Il m'a reconduite à la porte. J'ai dit : je m'excuse d'être restée aussi longtemps.

Il a dit : arrête.

Nous nous sommes embrassés. Je suis sortie. Je suis allée à la fruiterie. J'ai pris des mûres et de l'eau Perrier. J'ai pleuré en marchant vers le métro.

⌣

Nous n'avions jamais acheté de billets d'avion pour Prague. J'aimais le croire. Nous n'avions pas de plans d'avenir. Nous n'avions pas d'avenir. Nous n'avions qu'une chambre rouge sur la rue Beaubien.

J'avais parlé à un ami de mon envie de me rapprocher d'un employé. Il m'avait dit : lance-toi. C'est ta chance de jouer avec l'objet de tes désirs.

C'est aussi à cet ami que je pensais envoyer mon manuscrit, une fois qu'il serait terminé, pour avoir des commentaires. J'estimais son avis. Je savais qu'il ne me ménagerait pas. Il me dirait ce que je ne voulais pas entendre. Il le faisait toujours. Pour cela, il fallait que j'écrive davantage, que le document Word prenne de l'ampleur. J'avançais à petits pas.

⌣

Bien avant qu'on commence à coucher ensemble, nous nous étions croisés dans un lancement de poésie. C'était à l'époque où j'étais en congé pour écrire. Je ne l'avais pas vu depuis peut-être deux mois. Il accompagnait un collègue de travail et ami, publié à la même maison d'édition que moi. J'étais très contente de tomber sur eux. J'avais embrassé mon ami. Lui, je lui avais dit : je ne te connais pas assez. Serre-moi juste la main.

J'avais pris du *mush* la veille, je suis allée chez l'esthéticienne avec une amie, une manucure pour oublier sa peine, c'était cliché, mais ç'avait marché pour elle. J'avais des ongles mauves d'un pouce limés en forme de pointe, je portais des semelles compensées, une jupe longue, un t-shirt déchiré. J'étais en forme, je me trouvais flamboyante. Le lancement se passait dans l'appartement de mon éditeur. J'avais bu plusieurs bières. Je me battais avec mon ami. Notre éditeur nous avait séparés quand nous avions commencé à nous frapper avec des chaises. J'aimais me battre avec les garçons. Je voulais être dans leur gang. Je voulais être une poète, pas une femme poète.

Les invités disparaissaient un à un, se dirigeaient vers d'autres partys. Lui habitait la porte d'à côté. J'espérais qu'il m'invite pour un dernier verre dans son appartement, même si je n'aurais pas pu y aller. En quittant la fête, nous nous sommes embrassés sur les joues. Il a dit : maintenant, on se connaît assez.

Déjà, il m'intéressait.

⌣

Il est arrivé sans répondre à mes messages. Il a cogné à la porte. Il avait réussi à entrer avec un autre locataire. Je sortais de la douche. Je n'avais pas eu le temps de ramasser. La vaisselle traînait autour de l'évier. J'avais les cheveux mouillés, j'étais gênée. Il a cogné de nouveau. J'ai enfilé un chandail long. J'ai texté : attends. J'arrive.

J'ai rangé mes sous-vêtements sales, j'ai fermé la porte de la chambre, j'ai couru vers la porte d'entrée. Il était là. Il était beau. Il n'avait pas la tête d'un homme fier envahi par l'envie folle de baiser. Il doutait. Je l'ai fait entrer. Je lui ai offert une bière. Nous sommes allés dans mon bureau. Il a dit : je ne suis pas à l'aise. Es-tu certaine que ton mari ne va pas arriver ?

J'ai dit : ne t'inquiète pas. Il ne sera pas ici avant vingt-deux heures.

Il regardait les œuvres au mur. Il arrêtait de parler à chaque craquement de plomberie. J'ai mis de la musique. Nous nous sommes embrassés. C'est ce que je préférais. Sa bouche. Ses lèvres. Sa langue. Ça n'a pas pris longtemps avant que je sois assise sur lui. J'ai joui vite. J'avais crié. J'étais gênée. J'ai dit : est-ce que tu veux que je te suce ?

Il a dit : oui.

Il est resté assis. Je me suis agenouillée sur le tapis. Il est venu dans ma bouche. J'ai couché ma tête sur sa cuisse. Je l'ai regardé en contre-plongée. Je voyais bien sa queue encore grosse, sa tête, ses yeux. Il avait l'air bien. J'ai dit : tu es beau.

Il a souri. Il a dit : je suis étourdi.

J'étais contente de lui faire ça. Nous avons écouté des vidéos sur YouTube. Parlé un peu. Puis, il est parti.

Nous avions la chambre quarante-trois. L'hôtel était glauque. Quarante-deux dollars avec les taxes, on ne pouvait pas s'attendre à mieux. J'ai dit au réceptionniste : je croyais que c'était plus cher.

Il a dit : Madame, on ne dit rien quand on paie moins cher que prévu.

J'ai collé un faux sourire sur mon visage. Je suis montée. En entrant, j'ai tout de suite pensé à David Lynch. La pièce était grande, l'espace, mal occupé. Il y avait peu de meubles. Tous étaient défraîchis. Un voyant lumineux clignotait sur le téléphone. J'ai décroché. Rien. J'ai déposé mes affaires près du lit, sorti mon ordinateur, déplacé le fauteuil et la table de chevet, mis de la musique. Je me suis versé du vin dans un verre de plastique.

J'ai attendu une heure avant qu'il arrive. Il a fait le tour de la chambre. Il riait. Il avait l'air d'un gamin. Il a monté le chauffage. Nous avons fait l'amour. Nous avons dormi. Le lit était immense. Nous ne nous touchions pas. Nous nous sommes réveillés. Nous avons fait l'amour encore. Nous avons parlé un moment. Il était enrhumé.

C'était le jour sur l'avenue du Parc. Il est sorti de la chambre avant moi. Nous étions près de la librairie. Encore une fois, nous avions peur de nous faire voir par des collègues. Je l'ai regardé longtemps marcher devant moi. Je suivais son manteau de cuir brun dans la foule. Il a tourné sur Laurier. Je l'ai perdu. Je suis allée à l'épicerie. J'ai acheté un litre de kombucha et du creton végétalien. Je suis rentrée chez moi. J'ai mangé une toast. J'ai bu du thé. J'ai essayé d'écrire. J'ai lu.

Notre histoire tombait à plat. Je m'épuisais à attendre des moments d'extase. Il y en avait, mais trop peu. Je n'aimais pas me retenir. Je voulais y aller à fond. Tout brûler. Être avec lui, être folle. J'avais l'impression que nous allions manquer de temps. Lui avait peur des rapprochements, de l'attachement, du couple. Un solitaire avec un monde intérieur fort. Une fois par semaine, c'était l'entente. Pas plus, il ne voulait pas perdre le contrôle. Je savais qu'il m'avait laissée entrer dans sa vie parce que je ne représentais pas de menace. Une femme mariée, un arrangement idéal. Je sentais qu'il me tenait à distance tout en étant extrêmement près de moi parfois. Plus près que quiconque l'avait été. Plus près que je l'imaginais possible.

Nous avions eu plusieurs différends au cours de la semaine. La communication par textos compliquait tout. Je le trouvais distant. Je ne comprenais pas son humour. J'ai fini par l'appeler de mon bain. J'étais plutôt triste. J'aurais voulu qu'il comprenne comme par magie. Je ne voulais pas me sentir insistante ou nécessiteuse de son attention. Je voulais qu'on s'amuse. J'avais besoin de sentir quelque chose, n'importe quoi, rien de précis. Même pas de l'amour, juste une émotion pour me croire vivante un peu. J'en avais besoin. Il me trouvait exigeante. Je l'étais probablement à ce moment. Sa présence était une drogue et je vivais mal la descente.

J'ai ravalé mes envies.

J'ai passé une des pires nuits de l'hiver. Couchée dans mon bureau, pleine de larmes et de morve. J'avais beaucoup de pilules entre les mains. J'ai pleuré longtemps. J'étais paralysée. Ce n'était pas lui. C'était tout le reste. C'était l'hiver. Cette saison si difficile où je me retrouve à devoir combattre mes idées noires. J'ai pensé au livre. Je voulais le terminer, juste l'écrire. Ça me sortait un peu de la déprime, me donnait de l'espoir.

Je me suis réveillée le lundi autour de midi. J'ai pressé un pamplemousse. Je l'ai bu avec mon mari. J'ai eu envie d'arrêter. J'ai eu envie de refermer le couple. J'en ai discuté avec lui devant les toasts. J'ai pleuré un peu en pensant au roman. Je n'aurais plus rien à écrire. Je voulais abandonner le projet. Il m'a conseillé de poursuivre. Son empathie me charmait. Je savais que notre union était forte et durerait. Il n'y avait que lui pour comprendre ma démarche d'écriture. Je pense que je ne l'avais jamais autant aimé, mon géant.

⌣

Je n'avais jamais vécu les premiers émois d'une relation. J'avais toujours été en couple avec mes meilleurs amis. Jamais avec un inconnu. Je découvrais le *flirt*, l'excitation des premiers messages, des premiers regards, des premiers baisers. J'apprenais à découvrir quelqu'un en découvrant son corps au même rythme.

Je m'y plaisais bien. J'y allais à fond. Je ne m'étais jamais sentie aussi gamine. Je graffitais son nom sur les murs des toilettes. Je me cachais dans la garde-robe pour lui parler au téléphone. J'avais un amoureux secret.

La dimension cachée de la relation ajoutait une couche d'effervescence. Je me retrouvais coincée dans des situations de stress. Nous en discutions par textos pendant des heures, cherchant des façons de mieux nous cacher. Notre intimité grandissait. Nos mains se glissaient malgré nous sur les flancs de l'autre, dans le dos, sur la nuque. Nous savions que nous finirions par nous trahir.

Il y avait aussi cette autre employée qui se liait d'amitié avec son colocataire. Ça compliquait les choses. J'avais peur que mon patron l'apprenne. Je pensais que je perdrais mon emploi. Je ne voulais pas être transférée dans une succursale à Laval, n'avoir d'autre choix que d'accepter parce que février n'était pas un mois favorable à la recherche d'emploi.

⌣

J'avais jusqu'à ce moment une vision assez binaire de la sexualité. J'avais été en couple avec une femme, puis avec mon mari. J'avais eu des aventures avec d'autres, mais presque toujours dans des contextes de fêtes, d'alcool. Rien sur le long terme. Autant dire rien. J'avais surtout exploré le sexe avec eux deux. Sans vraiment m'en rendre compte, je catégorisais les pratiques selon les genres. Touchers de femmes, touchers d'hommes.

Je découvrais que c'était faux. Qu'il n'y avait que des touchers d'individus et que le genre n'avait pas grand-chose à voir avec la façon d'approcher l'autre.

En même temps, c'était la première fois que je couchais aussi souvent avec un hétéro.

Je n'avais jamais aimé un homme hétéro.

⌣

La case du mercredi. Nous nous voyions surtout ce jour-là. Je terminais ma semaine de travail, lui la commençait. C'était la seule journée où ni lui ni moi n'avions à travailler le lendemain matin.

Le jeudi, je rentrais à la maison. Je déjeunais avec mon mari. Nous parlions de nos aventures. Je me préparais une carafe de thé. Je m'assoyais devant mon ordinateur et je rédigeais un compte-rendu de la veille. Ensuite, je pouvais vaquer à d'autres occupations.

⌣

J'allais à Bruxelles pour la Foire du livre. Il m'avait noté quelques bonnes adresses. Il y avait passé plusieurs jours à l'automne.

Avant de décoller, j'avais reçu un texto de lui. Il disait : bye ma belle, xxx.

J'avais souri. Dans l'avion, j'avais ouvert mon livre. La liste des films qui l'avaient fait pleurer gardait la page. J'avais oublié que je l'avais mise là. Je l'ai relue. Je l'ai prise en photo pour lui envoyer.

Là-bas, je pensais à lui à tous les coins de rue. Je l'imaginais s'arrêter pour chercher son chemin, s'acheter une gaufre, prendre une photo. Le premier soir, je lui ai écrit : je voudrais que tu sois ici avec moi. J'ai trouvé une vie parfaite pour nous.

J'ai noté dans mon carnet : The Cure – Guerre froide – Krafwerk, j'aimerais vivre ici avec toi. C'est pour nous. C'est un bar rouge.

J'étais tombée amoureuse de Bruxelles. J'adorais l'énergie de la ville. Je m'étais inquiétée de la grisaille, puis finalement, mon caractère mélancolique s'y adaptait à merveille. Je fêtais avec les auteurs venus aussi pour la Foire. Je ne dormais presque pas. J'étais en état d'ivresse constant. Je planais. Un soir que j'avais bu, je lui ai écrit : mon roman va s'appeler *Bonne nuit, Sébastien*. Au milieu, ça va devenir une autofiction surréaliste. Je vais me transformer en sirène et vivre dans le canal de Bruxelles.

Il a répondu en riant. Du moins, c'est ce que j'ai compris de son message.

⌣

Nous avions convenu de nous rencontrer en début de soirée. Il devait me rejoindre. Je m'étais préparée longuement. J'avais coiffé mes cheveux.

J'hésitais entre la queue de cheval qui me donnait un air juvénile ou le chignon bas. J'ai opté pour les laisser tomber sur mes épaules. Une vague en bordure de joue. Il est arrivé avec un peu de retard. Il souriait. Je souriais aussi. Nous ne nous étions pas vus depuis deux semaines. Il s'est approché de moi. J'avais une robe qui laissait voir mon dos et encadrait mon tatouage. J'ai au centre des omoplates une lune entourée d'un serpent qui mange sa queue. Un souvenir de voyage en Amérique du Sud. Un ouroboros sur le chakra du cœur, ç'avait été un choc pour ma grand-mère, qui y voyait plus de signification que moi.

Très vite, sa main a glissé sur ma peau. Il a dit : tu as la peau douce. Je sais que vous, les femmes, avez souvent la peau douce, mais la tienne est remarquablement douce.

J'ai souri. Nous nous sommes levés. J'avais de la difficulté à marcher. J'étais une sirène avec des jambes. On m'avait prévenue que la douleur se dissiperait dès les premières heures. Je m'habituais à la sensation du sol. Nous allions vers un bar qu'il aimait. Sa main courait encore sur mon dos. Ses doigts glissaient le long des ourlets, essayaient de découvrir davantage de peau. Il a commandé deux bières. La mienne goûtait les cerises. J'aimais beaucoup. J'écoutais la musique, *cold wave*, planante. Les tables autour de nous n'existaient pas. Je le regardais. Ses yeux verts, sa lèvre inférieure charnue. J'ai approché ma main de son oreille. Je la caressais. Nous commencions à être ivres.

Nous avons marché vers son hôtel. Déjà mes jambes se portaient mieux. J'avais, à la limite, quelques déséquilibres. Il me rattrapait, me soutenait. Ça me donnait un charme et ça lui permettait de me toucher. Nous sommes entrés dans la chambre. Je me suis allongée sur le lit. Nos peaux se fondaient l'une à l'autre. Je ne regrettais pas d'avoir troqué ma voix contre ces jambes et ce sexe tout au bout. Il est entré en moi. Nous avons baisé. Beaucoup. Fort. Puis, dormi. Main dans la main. Front contre front. Comme des amants âgés. Toujours fondus l'un dans l'autre.

Je me demandais : une sirène sans voix peut-elle encore écrire ? Peut-être est-ce la seule chose qu'elle peut faire. Ne plus parler, écrire et offrir son sexe.

Le matin, je me suis rhabillée. Il se réveillait. J'ai pointé la porte. Il a compris que je devais m'en aller.

Il dit : tu peux partir, mais laisse ta bouche ici. J'ai accepté.

J'avais un sexe. J'avais une manière d'écrire. Une bouche, à quoi bon.

⌣

J'avais connu le conte d'Andersen avant de connaître celui de Disney. À l'école, cela m'avait valu mes premiers débats littéraires, puisque dans ma version, la sirène mourait. Mourir pour l'amour. Déjà à six ans, la chose m'apparaissait valable, logique et même désirable. J'appris que l'amour ne se terminait pas bien, que personne ne se mariait et ne vivait heureux. Il fallait souffrir et finir en écume de mer, ce que j'étais prête à faire.

Avec le temps, j'avais eu des relations agréables et même celles qui se terminaient mal ne me laissaient pas trop amère. Je respectais mes ex. Mon ex, puisque je n'en avais qu'une qui valait la peine d'être mentionnée. Je lui parlais quelques fois par mois. Nous étions toujours proches malgré la distance.

J'étais un peu aux prises avec cette vision romantique de l'amour. J'étais prête à m'abandonner. Je voulais tenter l'expérience, me commettre, me brûler.

J'étais revenue de Bruxelles depuis trois jours. Je l'attendais au bar. Il est arrivé avant que la serveuse ait le temps de venir me voir. Il est entré avec le sourire. Je ne pouvais pas m'empêcher de sourire en retour. J'avais très hâte de le voir. Nous avons parlé de mon séjour, de voyages, de bières, d'un peu de tout. Nous nous sommes dépêchés de traverser chez lui pour faire l'amour. Nous nous sommes endormis.

Au matin, nous avons recommencé nos ébats. Il me touchait. Il me serrait la gorge. J'aimais enfoncer sa queue dans ma bouche, le plus loin possible, et rester longtemps sans respirer. J'émergeais ensuite. Il me serrait le cou. Quand il voyait que je n'en pouvais plus, il me lâchait et me collait à son torse. Nous avions une cadence. C'était bien orchestré jusqu'à ce qu'il vienne et que je vienne aussi. Ce matin-là, il n'y avait rien de différent, sinon que nous avions peut-être envie d'aller plus loin, d'en faire plus, puisque nous nous étions manqués. Quand il a relâché ses mains une énième fois, je me suis mise à hyperventiler. Il m'a laissé de l'espace dans le lit. Nous ne paniquions pas. J'ai réussi à réduire le rythme de mes inspirations jusqu'à ce que j'arrête complètement de respirer. Il s'est approché de moi. Il a dit : respire.

J'étais figée. J'étais bien dans mon apnée. Il m'a agitée. J'ai pris une bouffée. Ce n'était même pas une bouffée. Ce n'était rien, une minuscule rasade, juste assez pour me laisser plonger à nouveau. Je restais inerte sur le lit. Enfin, je sentais l'anéantissement. Nouvelle secousse de sa part. Je commençais à le voir inquiet. Même réponse de mon corps. Je n'avais pas tout à fait envie de revenir. Le monde était tranquille de ce point de vue. Il a approché son oreille de ma bouche. Rien. Une bouche béante. Son visage devenait flou, ses yeux disparaissaient. Il a saisi mes épaules, m'a secouée. Une autre fois. Et encore. J'ai commencé à respirer pour de bon.

Avec la déprime des jours précédents, je ne voyais plus clair. Je savais que je n'avais pas le désir d'être heureuse, je savais que ça m'importait peu. Cette histoire n'avait du sens que lorsque je commençais à l'écrire. Si je passais une semaine sans rédiger, je me croyais amoureuse, au bord du divorce. Il fallait que je ramène mon expérience à la littérature. Quand je terminais un bon paragraphe, peu importait ma peine, mon manque, ma culpabilité. Il y avait le texte. Le texte salvateur. Celui par lequel tout existe, même moi. Il y avait beaucoup de cela dans ce projet. J'avais remarqué que lors de mes crises d'angoisse, j'avais le réflexe d'aller valider mon existence sur Facebook. J'avais une trace de moi, des photos, un certain nombre d'amis classés par catégorie, j'avais des intérêts, des discussions. C'était très rassurant de se sentir présent dans le monde. J'ai une fiche, je suis. En parallèle, je pouvais aussi me dire : j'ai un livre, j'existe. Cela validait mes douleurs, les rendait nécessaires.

⌣

La bisexualité de mon mari ne m'inquiétait plus. J'avais déjà angoissé sur le sujet. Énormément même. C'était comme si l'ouverture de notre couple avait tué la peur que j'avais d'être trompée. Maintenant, je n'avais plus à craindre les mensonges. Je savais ce qu'il se passait, c'était là, exposé devant moi. Ça avait éteint mon anxiété.

Dans le passé, j'avais eu peur d'avoir à me battre contre des hommes. Contre les femmes, j'étais à armes égales. Contre un homme, je ne pouvais rien. Je les avais détestés. Haïs. Ils avaient des armes que je ne connaissais pas.

Ensuite, cette idée du bisexuel qui doit absolument aller voir ailleurs est ridicule. J'étais moi-même bisexuelle, je ne voyais aucune femme depuis des années et je m'en portais bien.

J'arrivais à rationaliser, mais parfois, l'anxiété prenait le dessus. Les doutes, les incompréhensions nourrissaient le grand monstre. La bisexualité masculine a cela d'inquiétant qu'on ne la comprend pas bien, qu'on n'y croit pas. On ne s'interroge jamais autant sur un rapport homosexuel dans le parcours d'une femme, tandis qu'un homme devient automatiquement un homosexuel dans le placard. J'avais mis du temps à comprendre.

⌣

Je n'en revenais pas de découvrir le sexe. Je croyais avoir tout compris. Je veux dire, pas dans la pratique, mais dans l'émotion. Je pensais avoir aimé, avoir désiré, mais je me rendais compte que ça pouvait être autre.

⌣

Il y avait aussi des moments de panique. Je me demandais à qui appartenait mon corps. Je devais jouer de compromis pour arriver à accommoder tout le monde qui voulait me passer dessus ; mon amant, mon mari. La pression ne venait pas d'eux, mais de moi. Je devais les laisser faire ce qu'ils voulaient pour ne pas les perdre. Et, pourquoi voulais-je tant ne pas les perdre ? Qu'est-ce que ça foutait au final ? J'avais peur de ne plus avoir personne. J'avais peur d'être seule. J'avais peur de ne jamais revivre les moments heureux. Je les voulais, les deux. Je les voulais de façon différente, mais égale. Je voulais les garder pour moi. Les avoir à portée de main, les dompter, les garder longtemps. Je savais que ça ne durerait pas. Le printemps arrivait. Il y aurait des mouvances. Je me calais dans mon divan, j'essayais d'écrire des poèmes en écoutant de la musique et souvent, je pleurais. Quand j'en arrivais aux larmes, je prenais un Ativan. Ma tête se taisait, me laissait tranquille avec les pages blanches de mon carnet. Je continuais d'écouter les mêmes chansons, mais je n'arrivais plus à écrire.

⌣

L'idée de nous marier nous avait pris en avril 2013. Guillaume avait passé l'automne à Paris. Nous avions traversé une période difficile, je vivais mal la distance. Nous avions failli nous laisser. Les boîtes attendaient d'être remplies dans la cuisine. Finalement, j'étais allée le rejoindre. J'avais passé deux semaines avec lui dans son studio de Paris. Une espèce de romance hors du temps. Avant de prendre l'avion vers Montréal, j'avais fait une crise d'angoisse. Et, une autre à Montréal sur l'autoroute métropolitaine. Son retour n'avait pas été de tout repos non plus. Nous devions retrouver l'intimité. Janvier et février ont été horribles. Nous étions dans une espèce de psychose de couple, une spirale qui nous tirait vers le fond. J'étais probablement en dépression. Je ne sortais plus de la maison, j'avais peur dans les transports en commun. Je ne travaillais presque plus. J'étais toujours à deux doigts de me cacher dans la garde-robe. Lui essayait de m'épauler, ne comprenait pas grand-chose à mes états. Le temps passait et les choses ne s'arrangeaient pas tout à fait. Puis, un soir de mars, nous sommes sortis. Il ventait fort, mais il ne faisait pas froid. Nous avions marché jusqu'au métro, puis jusqu'au centre de minéralogie de Montréal. Nous n'étions plus dans l'appartement étouffant. Nous n'avions plus à voir les traces de couteau sur les murs. C'était une belle soirée au travers des roches. Nous étions bien.

Nous étions déjà fiancés, même s'il n'y avait promesse de rien. Il m'avait acheté une bague, un jonc en or, pour mon anniversaire l'année d'avant. Il avait dit un truc du genre : peut-être que ça veut dire que nous allons nous marier. C'est comme tu veux.

J'avais trouvé cela charmant. Je me souviens d'avoir joui très fort en regardant la bague. Je me trouvais ridicule. Peut-être que ça voulait dire qu'on ne m'abandonnerait pas si facilement.

Avril, l'annonce à nos familles. Le mariage en août. Peu d'invités, une cérémonie intime organisée par un couple d'amis, une belle fête, les fleurs, le vin.

⌣

J'avais à me mettre en danger, puisque c'est tout ce que j'avais, puisque je ne tenais vraiment à rien, et puisque je n'aimais pas assez la vie pour essayer de la réussir. Si l'expérience humaine m'était offerte, autant tout scraper, pleurer une bonne claque, en baver et constamment être au bord du gouffre. Je pensais à l'écriture comme validation de l'expérience humaine, comme nécessité devant l'absurdité de l'existence.

Était-ce hypocrite de ma part de prétendre vivre ça pour l'écrire, de tout ramener au roman, de subordonner le désir à l'écriture ? Parce que le désir était là, il répondait à sa propre logique et n'avait besoin d'aucune justification rationnelle. Était-ce seulement pour me tirer de ma culpabilité que j'écrivais ce livre ? Ma culpabilité d'être en train de tomber amoureuse d'un autre homme, d'avoir failli à ma promesse, de me retrouver aussi peu loyale que les autres.

Nous avions tablé longtemps sur notre image de couple parfait. On nous appelait « Les Adjutor » à cause du deuxième prénom de Guillaume. De cette nomination, j'étais exclue. J'étais dilapidée par l'autre, le talentueux. À l'époque, ça m'allait très bien. Je n'avais rien fait. Seulement photocopié des poèmes pour les vendre deux dollars dans les sous-sols d'églises. Alors, nous étions les Adjutor. Je faisais tout pour répondre aux exigences du poste. Après le mariage, nous étions devenus un couple de référence. Le seul de notre cercle d'amis qui durait encore. Autour d'un feu de camp, j'avais même entendu du coin de l'oreille une amie dire : regarde-les. On sait que le mariage, le couple... Mais eux, je pense que ça pourrait marcher.

Et puis, nous nous connaissions depuis des années, avions une amitié solide comme fondation, des intérêts similaires, une connexion intellectuelle. Nous étions parfaits.

Et, avec le temps, j'ai voulu un bébé. J'ai voulu devenir une mère idéale ; accouchement naturel, allaitement, bébé sans couche, méthode alternative, école à la maison, 24\7. J'imaginais l'enfant parfait. Que pouvions-nous avoir d'autre ?

Nous avons essayé un peu. Guillaume ne semblait pas croire au projet. Puis, nous devions partir en Suisse. Pas moyen d'accoucher là-bas ou d'y être enceinte de sept mois. Alors, nous avons arrêté. J'ai décidé que ça n'arriverait plus. Que nous ne serions pas parents, ne serions pas cela ensemble. Je ne voulais plus. Je fermais une porte. Une option de moins. Une avenue où nous n'irions jamais. C'était une petite fin. Notre première fin.

Je détestais ne pas avoir de temps avec lui. Nos horaires concordaient peu. Nous nous rencontrions souvent autour de vingt-trois heures. Nous avions la nuit et l'avant-midi. L'heure avançait vite. Le jeudi, lorsque je le quittais, j'avais à attendre une semaine complète avant de me trouver à nouveau dans ses bras. J'oubliais ce que je voulais lui dire, lui faire. Je rêvais d'un voyage. Même de deux jours. Presque rien. Juste un peu plus que ce que nous avions. Je rêvais de Prague, encore. De Lisbonne, un appartement. De Bruxelles, où nous aurions été heureux. De la Gaspésie, en voiture. J'attendais.

Nous étions partis du travail ensemble. Nous avions fait mon trajet habituel. J'étais contente de lui faire part des réflexions qui habitaient mon quotidien. À la station Square-Victoria, nous nous sommes arrêtés sous le dôme. J'adorais cet endroit pour l'acoustique. Je lui ai raconté que j'avais entendu un homme y chanter de l'opéra. Nos pas résonnaient. Nous sommes allés acheter des condoms, puis nous nous sommes arrêtés pour manger. Nous avons continué jusqu'à l'appartement. Nous avons bu une bière en regardant des vidéos sur Internet. Nous avons baisé sur le divan dans mon bureau. J'étais sur lui. Collée à lui. Nos torses chauds. Je tenais sa nuque. Je criais son nom. J'ai eu un premier orgasme long et doux. J'étais bien. Il voulait m'en donner un autre. Je n'ai pas refusé. Puis, je ne sais pas ce qui est arrivé. J'ai commencé à hyperventiler, encore. Mais cette fois, j'ai paniqué. Je ne comprenais rien. Je me suis mise à pleurer. Je pleurais sur son épaule sans même qu'il s'en rende compte parce que ma respiration haletante couvrait le bruit. Puis, j'ai arrêté de respirer. Longtemps. Même histoire que la dernière fois, mais avec davantage d'intensité. Je me suis sentie double ; un corps physique en état de choc et un esprit flottant, loin, dans l'obscurité. Deux objets déconnectés.

Dans les jours qui ont suivi, j'étais restée seule à l'appartement. J'étais un désastre.

⌣

J'ai effacé des détails personnels.

⌣

J'avais presque trente ans. Je ne savais plus trop bien en fait. Je mentais depuis longtemps sur mon âge. J'avais entre vingt-six et vingt-neuf. J'étais affolée par le temps qui filait. J'avais peur de ne rien être. Et je n'avais que l'écriture. Que l'écriture qui me sauvait en dernier lieu, que ce roman que je voulais terminer pour au moins en avoir deux. Deux romans, un recueil et un autre posthume, peut-être que ça ferait de moi une écrivaine, une petite chose.

Ça n'allait bien nulle part. Je ne mangeais plus, j'avais perdu vingt-cinq livres durant l'hiver. Je me tapais des crises de panique.

J'attendais de lui qu'il me sauve, qu'il me sorte de moi-même. L'hiver s'éternisait.

⌣

J'avais choisi les vêtements, des vêtements laids. Je ne voulais pas faire l'effort d'être belle. J'avais les cheveux sales, des cernes de maquillage sous les yeux. J'avais fait du sexe anal avec mon amant le matin. J'avais baisé avec mon mari en soirée. J'étais menstruée. Je puais. J'ai pris le pilulier, l'ai rempli de ce qui restait d'Ativan et de Dilaudid dans la pharmacie, l'ai mis dans la poche de mon manteau, le cellulaire dans l'autre. J'ai pris une bouteille d'eau. J'ai dit à mon mari que je sortais prendre une marche. Il m'a demandé si j'allais revenir. J'ai dit : oui.

Je suis sortie. Je me suis rendue au bord du canal tout juste à côté du pont Mill. La neige craquait. J'avais cru que l'eau serait dégelée à ce temps-ci de l'année. J'ai marché sous le pont. J'entendais de l'eau s'écouler entre les portes de l'écluse. Je me suis approchée. Il n'y avait presque rien. Un filet. Dix pieds plus bas. Il n'y avait pas de façon d'y descendre. J'ai pensé à sauter. Ce n'était pas ce que j'avais prévu. Je suis allée plus loin. Toujours pas de façon de rejoindre l'eau. Je me suis arrêtée pour écrire. Je voulais rédiger un dernier poème. Je ne savais plus trop bien comment m'y prendre. J'avais froid. J'aurais pu rester assise, attendre que les somnifères m'endorment. Je n'avais pas réfléchi à la combinaison Ativan-Dilaudid. J'avais surtout pensé à l'hypothermie enveloppante. Cette idée du canal, je l'avais volée à Claire Legendre, je

57

l'avais trouvée ingénieuse : « suffit de s'y laisser tomber, et ensuite, comme le cygne l'autre matin, le cygne mort échoué sur les berges[*] ». Un canal à Prague, un canal à Montréal. J'ai marché plus loin. J'ai essayé de me glisser en bas d'une passerelle. C'était trop haut. J'ai rebroussé chemin. J'ai laissé la bouteille d'eau sur un banc de neige. J'ai marché la tête basse jusqu'à l'appartement. J'ai sonné, je n'avais pas mes clés. Je ne pensais pas avoir à les réutiliser. Mon mari a ouvert. Je suis rentrée. J'ai rangé le pilulier dans ma table de chevet. Je me suis assise devant mon ordinateur. J'ai mis *Going to a Town* de Rufus Wainwright. J'ai pleuré.

⌣

Il était assis dans mon bureau. Il y passait presque toutes ses pauses. Nous parlions de ses insomnies. J'ai dit : j'ai envie de te sauver.

Il a dit : je n'ai jamais connu quelqu'un qui voulait me sauver autant que toi.

J'ai dit : peut-être que je vais réussir.

⌣

J'avais apporté une corde dans mon sac. Nous étions dans sa ville natale avec ses amis. Nous

---

[*]   Claire Legendre, *Vérité et amour*, Grasset, 2013.

buvions de la bière. Il y avait cette ex assise au bout de la table. Je ne comprenais pas très bien le lien qu'il pouvait y avoir entre elle et moi. Je tentais de ne pas trop le questionner. Nous attendions une nouvelle pinte. Je lui ai dit : j'ai une surprise pour toi. Regarde dans mon sac.

Il a souri plus interloqué qu'heureux en découvrant la longue corde noire. Les bières sont arrivées. Nous sommes restés au bar un bon moment, puis nous sommes rentrés à Montréal avec son colocataire et deux amis. Dans la voiture, il a mis Les Cowboys Fringants. Je n'avais rien écouté d'eux depuis des années. J'ai mis ma joue sur son épaule. Je pensais à mon ex, à son cancer, à mes amies de l'époque que je ne voyais presque plus. Je me sentais extrêmement seule. J'avais le sentiment très fort que je n'aurais jamais personne. Les gens passaient dans ma vie. Même lui allait passer. Et mon mari qui passait déjà. Pourquoi m'attacher à nouveau ?

À l'appartement, nous avons parlé un peu. Il était tard. J'étais sur lui. Il avait la corde. J'avais pris la peine d'étudier quelques ficelages. Il a paru surpris par mon aisance, m'a demandé si j'avais fait cela souvent. C'était la première fois. La corde passait autour de mon cou, un premier nœud au-dessus des seins, un deuxième en dessous et un troisième plus bas, ensuite elle passait sur ma chatte, mon cul, remontait vers ma nuque, se séparait et revenait vers l'avant pour passer dans chacun des nœuds. Nous avons baisé comme ça. Il est venu. Nous avons dormi longtemps comme des adolescents, jusqu'à treize heures.

⌣

Je voulais apprendre à vivre seule. Je ne l'avais jamais fait. J'avais évité de façon magistrale la solitude toute ma vie. Été célibataire deux mois en dix ans. Dormi seule presque jamais depuis des années. J'avais construit des relations pour avoir quelqu'un et j'avais baisé pour la même raison.

À ce stade-ci, j'avais l'impression de devoir choisir entre mon couple et mon roman. Je devais m'engager complètement envers l'un ou l'autre. Le roman demandait d'aller plus loin, d'être seule, toujours plus seule. Et je n'avais rien d'autre, que l'écriture pour me sauver encore le cul. Si je continuais à essayer d'écrire le livre en ne faisant aucun compromis sur ma vie, le récit devenait complaisant. Qu'une histoire de peine d'amour banale. Pourquoi pensais-je avoir autant besoin de l'écrire ? Pourquoi était-ce intéressant ? Parce que ça me sauvait. Encore ce verbe. C'était intéressant parce que ça prenait le dessus sur tout. Parce que ça m'obligeait à me bousiller pour rendre l'histoire meilleure. C'était de la triche, probablement. Mais les règles, je pouvais les décider. J'étais la reine ici dans le pays de mon roman.

J'avais parlé à Guillaume de mon besoin de solitude. Un premier pas. Nous avions convenu de quelques jours. Il était allé chez ses parents. Ce n'était pas assez. J'avais envie de déménager, de me trouver une chambre vide, d'installer un matelas au sol, un tapis, n'avoir rien d'autre que mon ordinateur, un casque d'écoute, une bibliothèque. J'allais tout lui laisser. Je le voyais comme une épreuve. Me briser en morceaux. Je savais que je n'y arriverais pas. Je n'avais pas les outils pour réussir à me faire face. Un désastre. Je lisais les publications sur les sites de petites annonces. Je cherchais des murs blancs. Un bain propre. J'en avais parlé avec Guillaume. Nous avions pleuré dans les bras l'un de l'autre. Notre premier contact physique depuis des semaines. Je n'arrivais pas à croire que nous en étions là.

Le livre avait beau parler du couple ouvert au début, ce n'était plus tout à fait le sujet. Le sujet, c'était je-ne-sais-plus-trop-quoi. Le sujet, c'était mon angoisse à ne plus aimer quelqu'un qui m'avait sauvée, qui avait tout pour me plaire, qui m'aimait, que j'aimais. Ne plus aimer quelqu'un que j'aimais et aimer un autre, un imparfait, un inconnu. Ne plus aimer l'homme que je voulais aimer pour toujours. J'hésite à l'écrire : ne plus aimer l'homme que j'avais voulu aimer pour toujours.

Guillaume à Paris en 2012. Il était parti au début d'octobre. Le premier, il me semble. Il m'avait accompagnée, jusqu'à l'arrêt d'autobus, je devais aller travailler, n'avais pas réussi à avoir de congé. Je l'avais regardé sur le coin de la rue. Je savais que les jours qui suivraient seraient difficiles. J'étais rentrée le soir, avais trouvé l'endroit vide.

J'avais écrit quelques jours plus tôt : « Dans six jours, tu seras dans l'avion. Je fermerai la porte derrière toi, installerai l'espace pour l'écriture et penserai enfin réussir à terminer le roman. Je m'attacherai les mains à mon clavier et le corps à ma chaise. Je ne bougerai que pour répondre à des besoins primaires. J'espérerai atteindre mon vertigo, mon enfermement total et pourrai laisser jaillir l'idée comme un flux. Je serai ce livre. Jours et nuits, j'y travaillerai. » J'avais écrit ces lignes au futur en sachant probablement que les choses n'iraient pas en ce sens. Oui, j'avais beaucoup produit durant les mois de séparation, mais j'avais surtout erré, surtout rédigé des textes autour du manque plutôt que de rédiger mon roman.

« S'il n'y avait pas le chat, je serais déjà partie chez ma mère. Même si ce chat parfois la nuit me dérange avec sa griffe surnuméraire qui frappe le sol et sa manie de jeter les objets du bureau partout. Je me surprends à la traiter de vache, ma petite chatte que j'aime et qui me protège. Toi, tu sais, et quelques autres aussi, que je n'arrive pas à dormir sans lumière et à fermer la porte de la chambre. Sans toi ici, la pièce paraît sans fin. C'est une espèce de claustrophobie inversée où l'espace s'agrandit tellement que je m'y perds. »

J'avais réussi à traverser les mois sans lui. Plusieurs amis avaient dû me soutenir.

Il est arrivé à la maison autour de dix-sept heures quarante. Il a sonné. J'ai ouvert. Il est monté, en ascenseur probablement, a cogné. J'ai ouvert. Je l'ai regardé. Je me suis assise sur le banc devant la porte pour lui laisser le temps d'enlever ses souliers. Il a dit : je ne resterai pas longtemps.

Nous sommes allés dans le bureau. Je lui ai offert une bière. Il a refusé. Il s'est levé pour aller aux toilettes. J'en ai profité pour terminer d'écrire un courriel. Il est revenu, a flatté la chatte. Elle l'aimait bien, ne l'avait pas mordu. J'y voyais un signe. J'avais confiance en l'instinct de mon chat. Je pouvais m'y fier. Il est venu s'asseoir près de moi. Tandis qu'il cherchait de la musique sur l'ordinateur, j'ai défait sa ceinture, déboutonné son pantalon.

J'ai remis mon chandail. Je me suis collée à lui. J'ai dit : nous nous sommes rapprochés parce que tu n'avais pas peur que je m'attache, puisque je suis mariée. Mais maintenant, si je quitte mon mari, est-ce que tu vas t'éloigner ? J'ai peur de ne plus te voir. Je te le dis le plus honnêtement possible. Je sais que tu ne veux pas être en couple. On pourrait continuer de se voir selon les règles, une fois par semaine.

J'ai oublié le reste de l'échange. J'avais ce défaut de lancer des questions et de ne pas écouter les réponses. Ce devait être flou. Des phrases vagues. De l'hésitation, puis un je ne sais pas. Nous nous sommes embrassés dans l'entrée. Il a dit : tu me fais du bien.

J'ai dit : tu m'en fais aussi.

Il est parti. J'ai dormi seule cette nuit-là.

Plus le livre avançait, plus je me disais qu'il fallait qu'il y ait un changement radical dans ma vie. Pour l'instant, je ne voyais pas ce changement advenir. Je ne voulais pas que ce roman soit une bulle dans mon parcours affectif. Une expérimentation d'écrivaine en mal de vivre. Il fallait que l'implication soit plus grande, soit vraie. Si je voulais placer l'écriture au centre de mon existence, je devais le faire jusqu'au bout. Choisir la solitude devait être la chose à faire. L'acte qui me demanderait le plus d'effort. Je pensais à un extrait de *L'écriture comme un couteau* d'Annie Ernaux : « J'ai résisté aussi avant de me plonger dans l'écriture de *La femme gelée*, je me doutais que, plus ou moins consciemment, je mettais en jeu ma vie personnelle, qu'au terme de ce livre je me séparerais de mon mari. Ce qui a eu lieu. » De réfléchir aussi fortement à mes relations interpersonnelles ne pouvait que me mener à douter de tout, de mon couple, de moi-même. Je glissais. Je voulais glisser.

⌣

Il n'y avait que moi dans le canal, les cheveux aux pieds, pleins de coquilles et de feuilles mortes, du varech sous les aisselles. J'avais les seins nus. Je chantais *Wicked Game* à la façon Pipilotti Rist.

Mais il n'y avait personne pour m'entendre. Vingt-deux heures vingt-deux, sans lune. J'attendais qu'il arrive, passais en revue ce que j'avais à lui dire, des banalités en grande partie. Viendrait-il ? Voulait-il de moi ? Ma dépendance affective de sirène. Ne trouver le bonheur que dans l'autre. Je me brossais, me frottais la peau pour la rendre luisante. Je voulais devenir cette chose précieuse qu'il aurait voulu garder longtemps.

Ma mère me posait des questions sur mes projets d'écriture. Je restais vague, je ne voulais pas trop divulguer le sujet de ce roman. Je savais que le moment viendrait où je n'aurais plus le choix. Je devrais la préparer, lui demander de ne pas le lire ou faire semblant de rien. J'aimais beaucoup la technique de l'évitement. C'était celle que je privilégiais au quotidien dans les divers conflits. La fuite m'apparaissait souvent comme la meilleure solution. J'appréhendais sa lecture, j'appréhendais encore plus celle de ma belle-mère. J'avais la chance d'avoir beaucoup de soutien de mon entourage. Ils avaient lu mes précédents livres, s'étaient échangé mes poèmes dans le creux du lit comme s'il s'agissait de poèmes d'amour. Il serait difficile de les empêcher de lire ce roman.

Sachant cela, je travaillais fort pour ne pas me censurer. Un de mes professeurs à l'université parlait des livres qu'on ne peut écrire qu'après la mort de ses parents. Je ne voulais pas lui donner raison là-dessus. Surtout, je ne pouvais pas attendre. Cette impression du temps qui file entre les doigts. Et qu'aurais-je à écrire dans quarante ans ? En écrivant quarante ans, je réalise qu'il ne reste pas quarante ans. Qu'il serait peu probable que mes parents vivent encore tout ce temps. Je ne veux pas qu'ils meurent. Plutôt mourir mille fois à leur place. Ma fascination pour la mort, encore. Ça vient de mon anxiété à ne pas être prête à mourir. Contrairement à tous ces gens qui disent vouloir mourir dans leur sommeil, je veux savoir quand ça va arriver. Je veux le sentir, m'en rendre compte. Ça explique aussi ma fascination pour le suicide. Une mort plus profonde que la mort, mais surtout une mort choisie et préparée.

Guillaume me disait ne pas vouloir discuter de la situation entourant le livre avec ses parents. Il craignait de se faire attribuer les failles de notre histoire et de devoir se justifier. On a l'impression qu'un homme adultère l'est à cause de ses pulsions sexuelles, et qu'une femme adultère l'est parce que son conjoint ne la satisfait pas. On pense : tu n'as pas su garder ta blonde à la maison.

Malgré nos personnalités, notre souci de ne pas nous conformer, nous nous retrouvions à osciller entre le modèle dominant du couple et nos aspirations personnelles. Même nous, nous n'y échappions pas.

～

J'étais allée écrire dans un café. Je l'avais rejoint à la fermeture de la librairie. Nous avions marché avec un collègue de travail jusqu'au métro, puis nous étions partis vers le nord. Le collègue avait son vélo. Nous sommes arrivés à l'appartement vers vingt-trois heures. Nous avions failli arrêter boire une bière, mais j'en avais déjà assez bu cette semaine-là. Nous avons parlé. Il était fatigué. Nous nous sommes allongés sur le lit. Je l'ai sucé. Nous avons dormi.

Le lendemain, je me suis réveillée avant lui. Je me suis habillée. Je l'ai regardé, endormi encore. J'étais debout au pied du lit. Je suis sortie de la chambre, puis de l'appartement. C'était un pas dans la bonne direction. Enfin, je me libérais de l'emprise de la passion. Sur Beaubien, vers le métro, je redevenais libre. J'avais voulu écrire cela. En vérité, je l'avais regardé du pied du lit. J'étais allée me recoucher à ses côtés. Il s'était réveillé, m'avait enserrée, avait remarqué la robe, avait fait un commentaire. J'avais dit que je voulais partir. Nous en avions discuté. Je savais qu'il était trop tard. Je n'arriverais plus à m'arracher de ses bras. Nous avions fait l'amour, nous tenant par les yeux comme aurait dit Brel.

⌣

C'était de ma faute si les relations sexuelles avec mon mari avaient cessé. Je ne sais pas très bien pourquoi j'emploie le mot faute, peut-être parce que je me sens coupable de cet éloignement. Ç'avait été insidieux. La fréquence s'était espacée, moins de touchers, moins de baisers. Jusqu'au moment où c'était devenu étrange.

En discutant avec une connaissance dans un bar, j'avais réalisé l'étrangeté du contrat. J'étais en couple avec un homme et je vivais ma fidélité avec un autre.

Le couple ouvert m'avait permis de devenir une entité complète. Je me découvrais. Je désirais une solitude que je n'avais jamais voulue auparavant. Je pouvais être seule entre deux hommes.

Je me questionnais sur l'avenir de mon mariage. Je ne voulais pas perpétrer le vieux réflexe monogame de vouloir recommencer ailleurs. Fermer une histoire pour en ouvrir une autre. Je voulais divorcer pour être une humaine complète, ce que je n'avais à proprement parlé jamais été dans l'âge adulte.

⌣

J'étais arrivée chez lui à vingt heures trente. Je m'étais assise sur son lit pendant qu'il terminait d'accorder sa guitare. Il avait joué un peu. Nous étions allés nous asseoir sur son balcon. Il avait acheté du vin. J'étais bien. Le printemps, mai chaud, lui. Je l'écoutais. Il avait l'air d'un acteur. Il me parlait souvent de sa famille. À propos de sa sœur, il avait dit : je vais te raconter un truc, mais si tu la rencontres, oublie-le.

J'avais noté l'éventualité d'une rencontre entre elle et moi. Nous étions rentrés, avions bu un verre de plus.

Il avait passé la corde autour de mon cou. Puis, tout le reste. Je l'avais un peu emmerdé avec des questions sur ses orgasmes. Je voulais qu'il jouisse en même temps que moi, ce qu'il ne faisait presque jamais. J'avais une obsession de l'orgasme simultané que jusqu'à présent j'avais considérée comme normale. Apparemment que ce n'était pas un objectif généralisé lors des rapports sexuels. Après la discussion, nous avions recommencé à baiser. Nous avions, ensuite, écouté des extraits de deux films d'Antonioni. Il me montrait ses passages préférés. J'aimais son esprit d'analyse. Et nous avions mis un film d'horreur. J'avais peur. Il avait été charmant avec moi, m'avait gardée dans ses bras longtemps.

Je m'étais réveillée avant lui. Je l'avais regardé dormir, j'aimais le voir respirer. Je me demandais si je l'aimais. Pourquoi était-ce si difficile à déterminer ?

Ce matin-là, nous n'avions pas baisé, avions choisi d'aller prendre un café sur une terrasse.

◡

Je lui ai écrit : si je divorce, est-ce que tu crois que nous serons un jour ensemble ?

J'avais besoin de connaître la réponse parce que je voulais me voir réagir. J'avais besoin de savoir si je pouvais vivre une relation qui n'avait pas de possibilité d'expansion ni dans le temps ni dans l'engagement.

La réponse n'arrivait pas.

Il a fini par écrire : je ne sais pas. C'est une grosse question.

Je n'étais pas tout à fait satisfaite, mais je comprenais. J'aurais répondu la même chose. Je n'aurais pas voulu perdre une opportunité. J'aurais laissé la porte entrouverte en m'assurant qu'elle ne s'ouvre pas sans mon consentement. Il faut se protéger de l'amour.

⌣

J'avais rendez-vous avec une amie au centre-ville. J'allais être chez elle un temps tandis qu'elle partait en résidence à l'étranger. Je devais prendre les clés et lui payer les deux semaines de loyer.

⌣

Nous étions allés dans un bar avec des collègues de travail. Nous célébrions le départ d'un employé de la librairie. Nous avions beaucoup bu et mangé des brownies au *pot*, fait la fête abondamment. Nous avions pris un taxi pour nous rendre chez lui. C'est probablement là qu'il avait perdu son téléphone. Nous avions essayé de le retrouver avec des applications en ligne, sans succès. J'avais enlevé mes verres de contact, les avais collés sur ses mamelons. Nous avions ri. Puis, nous nous étions endormis.

Je m'étais réveillée avant lui. La disparition de son téléphone m'avait rendue anxieuse. J'avais une obsession à récupérer les objets perdus. Enfant, mon saint préféré était saint Antoine de Padoue. Je me suis levée. Je l'ai embrassé. Il m'a dit : pourquoi tu pars si tôt ?

J'ai dit : je veux te laisser dormir.

J'ai marché. Il ventait. J'écoutais *OK Computer*. J'étais encore sous l'effet des brownies. Je ne voyais presque rien parce que j'avais oublié mes lunettes à la maison. Je pensais à son téléphone. J'ai marché peut-être une heure. Jusqu'au restaurant où nous avions mangé avant de rentrer. J'ai demandé à la serveuse si elle avait trouvé le cellulaire. Elle a sorti un trousseau de clés, ouvert un tiroir sous la caisse. Rien. Je suis allée jusqu'au métro Mont-Royal. Là, j'ai croisé des amis. Un ancien couple. Lui avait l'avant-bras cassé. Elle était très belle. Je leur ai raconté que je cherchais un téléphone. Je devais avoir l'air confuse. J'ai pris le métro pour retourner vers Beaubien. J'ai acheté cinq croissants, des bananes et des cerises. Je suis allée chez lui. J'ai sonné trois fois. Pas de réponse. Je suis allée sur le balcon derrière. J'ai cogné. Toujours rien. Je me suis assise deux minutes. J'ai regardé mon téléphone. J'hésitais à partir. J'avais fait tout ce chemin pour rien. Je me sentais ridicule d'être là. Un cliché de femme complètement obsédée, obnubilée par un homme. Je ressassais les évènements de la veille. Nous avions appris à quelques collègues notre relation. Certains avaient ri. Un était particulièrement fâché.

Plus tard dans la soirée, alors que nous étions sur le point de nous embrasser, ce même collègue en avait profité pour nous frapper la tête ensemble. C'était très violent. J'avais cru saigner du nez.

La pluie a commencé. Une fine pluie. Je suis allée cogner de nouveau. Puis, il a plu davantage. Tant que j'ai même supposé qu'il allait grêler. Il est apparu dans la fenêtre. Il m'a ouvert. Il ne comprenait pas ce que je faisais là. J'ai pensé qu'il devait bien m'avoir entendue. N'avait pas voulu me voir. Mais que la pluie l'avait finalement attendri. Il m'a dit : non, je dormais. La pluie m'a réveillé. Je suis venu voir si la fenêtre était fermée.

Je m'étais dit qu'il valait mieux que je le croie. J'ai dit : est-ce que je peux entrer ? Est-ce que je peux me coucher dans ton lit ?

J'étais trempée. Je me suis déshabillée. Je me suis affalée entre les draps. Il m'a rejointe. Nous avons essayé de dormir peut-être vingt minutes. Il a dit : ça sert à rien.

Il m'a embrassée. Je suis montée sur lui. Il m'a caressée. Sa peau était chaude. Il a mis un condom. J'étais toujours sur lui. J'ai dit : je t'aime, Seb.

Il a dit : je t'aime.

Nous avons déjeuné ensemble. Il a fait du café. Pendant que je mangeais les cerises, j'ai vu son cœur battre entre ses côtes.

◡

Un petit trois et demi dans un quartier tranquille. Parfait pour être seule. Pour écrire. Les murs étaient blancs, décorés de quelques photos, de poèmes aussi. Il y avait un paravent qui séparait le salon de la chambre, je le laissais ouvert. Un balcon. La cuisine tout au bout. Peu d'ustensiles, un bol, deux tasses, deux chaudrons. Pas de grille-pain. Ni de micro-ondes. Seulement un four et une cafetière électrique. Le plancher était en bois. Comme chez mes parents, les planches espacées cachaient des attentats. Le deuxième matin, je m'étais piqué un morceau de verre dans le pied. J'avais une phobie des éclats de verre. Une vision très nette de mon père, ses gros doigts sur mon pied, le sang, le son de la pince à cil qui se referme sur le verre et qui glisse sans l'attraper. Cette fois, j'avais réussi à l'extraire sans trop de mal. J'avais placé l'éclat sur le rebord de la fenêtre pour le regarder.

Il était venu me rejoindre après le travail. Je savais qu'il n'arriverait pas à dormir ici. Les murs étaient trop minces. Il aurait peur de faire du bruit ou d'être réveillé par les voisins. Il s'est assis, a gardé son manteau de cuir. Nous avons parlé un peu. Il voulait savoir pourquoi j'avais l'air triste au travail plus tôt. J'avais reçu un message de Guillaume qui disait : juste pour que ce soit clair entre nous, ça fait un bout que tu me trompes. Depuis que je ne suis plus à l'aise avec notre situation. Ça continue selon les règles que tu as décidé de suivre et c'est vraiment nul.

J'étais en réunion. J'avais jeté un regard rapide sur mon téléphone. Lorsque j'ai pu lui répondre, j'ai écrit : je vais t'appeler bientôt. Ça ne va pas ?

Ce à quoi il avait répondu : il n'est pas nécessaire de reperformer une conversation que l'on a eue vingt fois. Ça ne fait que régler temporairement mon inconfort sans que tu aies à faire quelque changement dans ton rapport à moi. Ne te trompe pas, j'étais content de te voir hier, mais visiblement, y'a rien qui change dans ton attitude, pis c'est désolant.

Je ne savais pas comment lui répondre. Je comprenais sa colère. Je comprenais sa peine. Je ne savais juste pas. La réunion s'est terminée. Je suis restée dans le bureau. J'ai pleuré. Je pensais que ce moment chez mon amie me permettrait de réfléchir.

Il est entré. Il y avait des mouchoirs près de mon ordinateur, il m'a demandé si j'avais pleuré. J'ai dit non. Puis, nous sommes partis vers chez lui. Ce n'était pas très loin. Peut-être quinze minutes de marche. Rien n'avait changé depuis la dernière fois. Nous nous sommes couchés. Nous avons baisé. Dormi.

Le lendemain, nous sommes allés déjeuner sur une terrasse. Deux anciens collègues sont passés. Ont crié nos noms en riant. Je n'ai rien pu leur dire tellement j'étais surprise par leur présence. Ils sont partis vers le parc.

Nous sommes allés dans une librairie. J'ai cherché des livres de Claire Legendre, de Christian Mistral et des recueils de poésie. J'ai hésité à prendre un recueil de Renaud Longchamps. Je n'ai rien acheté. Il a acheté *Le conformiste* de Moravia. Il adorait le film de Bertolucci.

Nous sommes passés chez lui. Il voulait me prêter son grille-pain. Je l'ai pris pour ne pas le décevoir. Je ne déjeunais presque jamais même si c'était mon repas préféré. J'ai marché jusqu'à l'appartement. Je me suis assise sur le balcon. J'ai appelé Guillaume avec Skype. La communication était mauvaise, j'avais des problèmes de connexion Internet. J'étais contente de lui parler. Nous avons discuté de sa thèse. Puis, je me suis mise au travail.

J'ai écrit jusqu'à dix-neuf heures. J'ai pris ma douche. J'ai écouté *Le locataire* de Polanski. Et je suis sortie avec des cigarettes et de la musique.

⌣

Je marchais une quarantaine de minutes pour me rendre du travail à l'appartement. J'avais fait la moitié du chemin avec un nouvel employé. Nous avions discuté de poésie, rien de nouveau. Je l'avais accompagné jusqu'au métro, l'avais salué. Il avait hésité à me faire la bise. Nous nous étions laissés sur un malaise. J'avais sorti mon téléphone et appelé Guillaume. J'avais parlé de mon roman. Des corrections que je devais effectuer, de mes doutes et de mes certitudes. Il écoutait bien, posait des questions pertinentes. J'avais tout relu dans la journée. J'avais bien des choses en tête. Puis, nous avions parlé du souper de mercredi. Des amis de Québec étaient de passage. Nous devions nous réunir. J'avais dit à Guillaume que j'allais retourner dormir dans Rosemont après la soirée. Il était agacé. Trouvait cela humiliant. Je ne savais pas quoi lui répondre. Je comprenais son sentiment, mais je n'avais pas l'impression de pouvoir l'empêcher. Je me disais que j'étais mieux de ne pas être présente au souper. Je passerais mon tour. Je n'irais plus. Il m'était très difficile de réagir à ses émotions. D'un côté, il m'exprimait bien ses angoisses. De l'autre, je sentais qu'il ne cherchait qu'à m'éloigner. Qu'il me repoussait. Que chaque tentative de ma part devait se solder par un constat d'échec. Je ne l'aimais pas de la bonne façon. Pourtant, je sentais qu'il n'avait rien à m'offrir. Sa thèse l'occupait jour et nuit. Je lui laissais le champ libre. Il avait l'appartement pour travailler, pour se concentrer.

⌣

J'avais une marque ronde sous les seins. Une couronne de dents. Je l'ai prise en photo avec mon téléphone.

⌣

J'avais acheté une bouteille de vin blanc. J'étais arrivée autour de dix-neuf heures. Mathieu était déjà là. Christo aussi. Guillaume m'a servi un verre de rosé. J'ai profité d'une discussion houleuse sur la chasse pour faire signe à Guillaume de me rejoindre dans la chambre. Nous nous sommes embrassés. J'étais bien. Je l'ai crossé. Il est venu. Nous nous sommes embrassés de nouveau. Nous avions quitté la table peut-être huit minutes. Personne n'avait l'air suspicieux. J'ai fini le vin. Nous avons ouvert une bouteille de blanc.

Les autres sont arrivés un peu plus tard. Nous avons mangé. Nous avons bu les sept bouteilles. Il ne nous restait que de l'alcool fort. J'ai sorti des brownies au *pot*. Nous en avons pris. Nous avons fumé un peu. Guillaume a fait passer la bouteille de vodka. Nous avons commencé à danser. Puis, nous avons tous enfilé des robes. Mes robes. Nous nous sommes couchés sur le lit. Nous étions sept. Nous étions bien.

L'heure avançait. J'ai pris un taxi avec Anne-Marie. Elle est descendue au coin de Saint-Laurent et Beaubien. J'ai continué jusqu'à De Lorimier. Je l'ai texté. Il m'attendait sur le trottoir, avec ses pantoufles. Je l'ai serré dans mes bras. Nous sommes entrés. J'ai essayé de ne pas faire de bruit. Nous nous sommes couchés. Je lui ai montré des vidéos de mes amis. Je riais. Il ne réagissait pas vraiment. Nous avons baisé. J'avais trop mal au cœur pour le sucer. Nous nous sommes endormis.

Vers dix heures, nous nous sommes réveillés. Nous avons recommencé à baiser. Je n'arrivais pas à jouir. Il est venu sur mon ventre.

Nous sommes allés déjeuner. Les conversations étaient lourdes. Il pensait que je lui faisais des reproches. Je lui en faisais probablement. Nous couchions ensemble depuis plus de six mois. Nous avions deux options : arrêter de nous voir ou continuer. Nous n'avions pas besoin de choisir maintenant, mais je savais que Guillaume commençait à être fatigué de cette liaison. Je ne voulais pas que ce soit lui qui impose un couperet. Je voulais qu'on puisse en parler avant.

Nous avons marché jusque chez lui. J'ai dit : est-ce que je peux t'embrasser dans l'escalier ?

Il a souri, il a dit : oui.

Il a ouvert. Nous nous sommes embrassés. Il me caressait sous ma jupe. J'avais envie de lui. Il m'a proposé de rentrer. Nous sommes allés dans sa chambre. Nous avons baisé. J'ai joui sur lui. Je devais partir. Il devait aller travailler.

⌣

D'avoir vu mes amis, les mêmes qui avaient assisté à notre mariage, partagé nos crises de couple, me redonnait espoir en mon mariage. L'amour durait-il trois ans ou pouvais-je espérer atteindre autre chose qu'une espèce de confort plate ? J'avais promis devant les gens les plus chers à ma vie que je travaillerais pour ce couple. Je leur devais au moins d'essayer un peu. D'un autre côté, j'avais vraiment l'impression que cette rencontre était marquante. Que jamais je ne trouverais une âme aussi près de la mienne. C'était un duel entre la passion et la raison.

Lors de ce souper, j'avais fait un bref saut dans ma vie. J'aimais mes amis, mon mari, mon chat, mon appartement. Rationnellement, tout cela était parfait. Une vie idéale. Pourquoi ne voulais-je plus y vivre ?

Sans voix. J'avais envie de retourner dans mes canaux. De retrouver mes habitudes. Mon confort. Je voulais terminer le livre et ne plus y penser. J'essayais de ne pas me laisser influencer par l'idée de la réception du roman. Surtout celle de Guillaume et de Sébastien. Les deux seraient déçus. Je le savais. Sébastien trouverait que je n'ai pas réussi à traduire la passion de nos rencontres. Guillaume, lui, apprendrait mes secrets, me découvrirait plus sournoise. Les deux auraient l'impression d'avoir été joués. Ils auraient raison. J'avais aussi été jouée dans cette histoire. Je brisais ma vie pour ce livre. Au moment où j'écris ceci, je le crois vraiment. Je suis seule dans un appartement blanc. Le divan est couvert de mouchoirs. Il y a un sac cadeau sur une chaise, depuis une semaine, une fête où je ne suis pas allée pour me permettre d'écrire. Des bouteilles d'eau Perrier partout. De la vaisselle sale. Beaucoup d'angoisse. Les pages de ce manuscrit au mur, annotées, corrigées. Une mouche qui arpente le salon depuis des heures. Moi, au centre de cette pièce. Presque nue. Angoissée. Incapable de choisir. Il faut bien choisir. Il faut toujours choisir. Toujours cachée derrière le texte. Tout faire pour le texte. La caméra roule en permanence. Vidéo de moi qui mange. Vidéo de moi qui lis. Vidéo de moi qui écris. Vidéo de moi qui me regarde dans le vidéo. Narcissisme paroxysme. Faire un roman de soi. Faire de soi un roman pour se donner un peu de sens. Surtout avoir peur de ne pas exister. La sirène existe. La sirène écrit un roman et elle se filme pendant qu'elle l'écrit. Elle se prend en photo. Elle pense à ses archives. La sirène écrit un roman parce qu'elle n'a pas de voix.

⌣

Je n'en pouvais plus d'être enfermée dans l'appartement. Je me suis habillée. J'ai mis mes écouteurs. Album *Third* de Portishead. Je suis sortie. J'ai descendu Papineau jusqu'à Laurier. J'ai marché vers l'ouest. Je me suis arrêtée pour prendre un café. Je voulais travailler toute la nuit. La librairie fermait. Je suis restée assise à l'extérieur. Mon collègue m'a fait signe d'entrer. J'ai discuté avec lui. Sébastien comptait la caisse. Nous sommes sortis, avons marché jusqu'au métro Rosemont. Puis jusque chez moi. Il est entré. Le salon était en désordre. J'étais gênée. Je lui ai offert un verre d'eau. Je savais qu'il commencerait à lire les pages au mur. Il en a lu beaucoup. J'avais peur de ce qu'il allait dire. Il souriait, un peu malaisé. Il a dit : j'ai l'air d'un con.

J'ai dit : mais non.

Il a dit : j'ai l'air du chum dans *Folle*. Je le détestais ce gars-là.

J'ai souri.

Je lui ai dit que je serais triste de le perdre. Que je ne pensais pas être celle qui allait le sortir de son célibat. Il a dit : si ce n'est pas toi, c'est qui ?

Il m'a serrée dans ses bras. J'ai versé deux larmes. Il les a essuyées. Il a dit qu'il ne voulait pas me perdre. J'ai pleuré encore. Je crois qu'il a pleuré aussi.

Elle est arrivée vingt minutes après avoir appelé. Nous avons fait du café. Elle ne savait pas pour le couple ouvert. En fait, un peu. Un ami lui en avait glissé un mot. Nous avons discuté. Elle était à l'écoute. J'étais contente de lui parler. Elle a dit : comment il s'appelle ?

J'ai dit : il s'appelle Sébastien.

Elle avait apporté une robe. Je l'ai mise. J'ai détaché mes cheveux. Elle les a mouillés dans l'évier de la salle de bain. J'ai enlevé la robe. Nous avons bougé la table. J'étais debout près du mur. L'eau coulait sur mon torse. Elle a pris plusieurs photos. Elle ne semblait pas satisfaite. Je n'arrivais pas à me concentrer. J'étais trop anxieuse. Nous avons tout rangé. Je me suis rhabillée. Nous avons fini le café.

Je n'étais la reine de rien dans cette histoire. J'étais coincée. Peinturée dans un coin. Prise au piège. J'étais seule. Vraiment seule. Il pleuvait. J'avais vérifié l'état de ma carte de crédit. Je voulais prendre un taxi pour aller dans le port. Je voulais être chez moi. Et je ne voulais pas y être. Je ne voulais pas flancher. Il me sauvait toujours, mon géant. Mon Adjutor.

Je suis sortie. J'ai marché jusqu'au viaduc au coin de Carrières et Papineau. J'ai regardé la circulation. J'écoutais Antony and The Johnsons. J'étais mieux. Je suis retournée devant mon manuscrit.

Il était venu après le travail. Juste en passant pour se rendre chez lui. Il lisait encore les pages aux murs. Il a dit : on dirait que je te fais tout cela et que tu ne veux pas. Que tu le subis. Tu as un peu l'air d'une victime.

J'étais fâchée qu'il me dise cela. Je me suis levée. J'ai lu le paragraphe. J'ai dit : je te demande de le faire. Je dis que j'aimerais que tu le fasses longtemps, toujours. C'est écrit juste là.

Je n'étais pas une victime. Je ne l'étais jamais. Même quand j'aurais pu l'être. Même quand ce gars m'avait baisée de force. Qu'il n'avait arrêté qu'au moment où je lui avais dit qu'il saignait du nez. Je n'avais pas été une victime. J'avais écrit un poème, l'avais publié dans mon recueil. On m'avait invitée un an plus tard à un évènement de poésie. J'avais vu qu'il serait là. J'avais préparé ma lecture en sachant cela. Il était bien là. Je l'ai fait monter sur la scène. Je lui ai fait lire le poème devant tout le monde. De l'extérieur, tout cela avait l'air d'une performance ratée. De l'intérieur, tout était parfait. Je savais. Lui savait. C'était ma petite vengeance.

Pourquoi maintenant, en baisant avec quelqu'un que j'aimais, avais-je l'air d'une victime ?

⌣

On me lit comme un être vulnérable. Je soigne mon apparence. Je me lisse. Je peins mes yeux. Je bats des cils à un rythme maîtrisé. Mes doigts longs et gracieux se posent où il faut. Ma fragilité est ma force. C'est qu'on ne saisit pas que je suis une puissance destructrice, une enchanteresse. La proie et le prédateur. J'incarne les deux. Je suis celle qui demande. Celle qui impose la limite.

⏝

J'étais revenue à l'appartement dans le port. J'avais défait mes valises. Avais dormi dans le bureau.

J'ai reçu un message de Marie-Claude qui me disait qu'elle ne reviendrait pas à Montréal avant une semaine encore. Elle voulait savoir si j'allais garder son appartement. Je lui ai dit que j'allais y penser, que j'avais déjà quitté les lieux, mais que je pourrais y retourner.

⏝

Je suis rentrée chez moi après avoir déjeuné avec Sébastien. J'ai dit à Guillaume que j'avais dormi là. Il croyait que j'allais dormir chez Marie-Claude. Il était fâché. Nous avons eu une longue conversation. La même qu'à l'habitude. Il avait raison. Je ne respectais pas notre entente. Je le trompais.

J'ai mangé un plat de pâtes devant mon ordinateur. Il écrivait sa thèse dans la pièce d'à côté. Il a dormi dans le bureau.

⏝

Je commençais à mentir dans le livre. Étrangement, je mentais moins dans la vie.

⌣

Mon tarot me disait que j'étais incapable de prendre une décision. *Le deux d'épée*. Une femme assise devant une étendue d'eau. Quelques rochers pointent. Elle tient deux lames qui se croisent devant son visage. Elle a les yeux bandés. Elle est coincée.

Mon tarot avait raison, j'en étais incapable.

⌣

Nous étions assis sur la même banquette. Le serveur avait tenu à mettre des tranches d'orange dans nos verres de bière. L'ambiance était tendue. Je voulais qu'il me dise que nous ne serions jamais ensemble. Il ne disait rien. *Love Hurts* a commencé à jouer. Nous n'avons pas pu nous empêcher d'éclater de rire. La chanson s'est terminée. Nous ne parlions pas, regardions les hommes jouer au billard. Après ma bière, j'ai eu très envie de lui. J'ai dit : baise-moi fort. Je l'ai répété. Il voulait. Nous nous sommes dit que nous irions à l'hôtel, le même où nous étions allés quelques mois auparavant. Nous sommes sortis. Il pleuvait. Je n'avais pas de condom. Lui non plus. Je savais que j'ovulais. J'ai décidé de rentrer chez moi. C'était difficile.

⌣

J'étais à Baie-Sainte-Catherine avec des amis. Nous louions un chalet. Plutôt un cabanon. Quatorze lits superposés, deux miniréfrigérateurs, un grille-pain et une cafetière. Nous mangions à l'extérieur. Nous mettions nos légumes dans le feu jusqu'à ce qu'ils noircissent. Nous appelions ça la *blackcuisine*. Guillaume était à Bordeaux pour quelques semaines. La fin de semaine me faisait du bien. Nous étions à fond dans un *trip New Age* tribal. Nous avions construit une tente de sudation, nous nagions nus. Bain de boue, baptême dans le fleuve, nouveau nom. Shinithah.

Un matin, devant du café, j'ai parlé de mon projet de roman avec deux amis. Je me questionnais sur le privé, sur la divulgation de l'intimité. Je me demandais si je trahissais. Mes amis croyaient que je ne devais pas trop retoucher le texte. Rien de bien compliqué à effacer, mais ç'aurait un impact sur le texte.

Guillaume m'avait parlé de son désir de ne pas lire le livre. Ça me donnait un peu l'impression de lui cacher quelque chose. J'aurais préféré qu'il soit curieux, qu'il veuille le lire et qu'il m'oblige ainsi à me justifier. Je savais que Guillaume serait très critique à mon endroit, qu'il ne laisserait pas mon ego s'en sortir, qu'il ne me permettrait pas d'avoir le beau jeu. C'était trop facile d'écrire un livre avec son seul point de vue, d'effacer, même inconsciemment, les détails dérangeants, les travers honteux, les abus, les malveillances, les méchancetés, la douleur, la trahison, le dégoût. C'était trop facile. Je l'avais trahi. Je lui avais promis devant parents et amis d'au moins essayer. Je pouvais consentir à ce retravail, puisqu'il concernait la vérité.

La conversation m'avait fait du bien.

Mes vacances m'avaient fait perdre le goût de travailler à la librairie. Je voulais remettre en ordre ma vie personnelle, accorder du temps à ma famille, à mes amis et à moi-même. J'avais quitté Baie-Sainte-Catherine avec la conviction que j'allais démissionner. J'avais rédigé ma lettre le lundi. Le mardi, mon patron était absent. Je lui avais envoyé un texto : bonjour, je suis désolée de faire cela de cette façon, mais je ne veux pas que ça traîne (surtout avec vos vacances qui arrivent). Je vais démissionner de mon poste. Est-ce que tu veux que j'envoie la lettre au RH pour lancer l'affichage dès maintenant ?

Il avait répondu : oui. Merci. Je vais t'appeler tantôt.

Je discutais avec des collègues lorsqu'il a appelé. J'étais nerveuse. Il m'avait demandé les raisons de mon départ. Je lui avais parlé de ma motivation en baisse, de mes projets d'écriture. Je le sentais insatisfait. Il faut dire que j'avais essayé de démissionner au printemps et qu'il m'avait découragée. Il avait dit : tu sais, on ne réalise pas toujours ses rêves.

J'avais cédé, étais restée en poste même si je ne travaillais plus, passais mes quarts de travail à discuter. Alors là, j'avais quelques appréhensions. Il voulait des plans fermes et valables. Je lui avais dit que Guillaume partait en Suisse, que j'allais le suivre. Et ça avait fonctionné. Il m'encourageait. Sur le coup, je n'avais pas eu l'impression de raconter un mensonge. Il y avait encore une infime possibilité que je l'accompagne à Bâle.

Rapidement, tout le monde s'était mis à me parler de mon voyage en Suisse. Un autre voyage imaginaire.

⌣

Il est venu me chercher au terminus de Laval. Il avait la voiture de sa mère. Il m'a montré quelques rues de Saint-Jérôme. Nous sommes arrêtés boire une bière, puis nous sommes allés chez ses parents. Un quartier résidentiel, la banlieue comme on la connaît : un parc au coin de la rue, des garages, des haies, du silence après onze heures. Nous avons fait le tour de la maison. Le décor était sobre, peu de détails permettaient de comprendre les habitants. Il y avait des dessins de sa nièce affichés sur les murs du sous-sol, seule trace de vie. Nous avons regardé des photos de son enfance dans la chambre de son père. Nous allions dormir là.

Il était tard. Nous nous sommes couchés. Nous avons commencé à nous embrasser. En le suçant, j'ai hyperventilé. Je me suis mise à paniquer. Je crois avoir perdu connaissance pendant un bon moment. Lorsque je suis revenue à moi, je n'ai pas réussi à parler avant plusieurs minutes. Je n'y arrivais pas.

Quand il a fermé la lampe, j'ai réussi à dire bonne nuit.

Le lendemain, j'avais mal à la tête. Il m'a fait du gruau. Nous avons mangé, lu dans le jardin. Un chat se promenait dans la cour. Il l'a nourri. Nous l'avons flatté. Sa sœur est venue nous chercher. Je n'ai presque pas parlé dans la voiture. Nous avons pris le train vers Montréal.

Je crois qu'il m'a dit qu'il avait eu très peur lors de ma crise d'hyperventilation. J'ai fait des recherches sur Internet pour comprendre le phénomène. On parlait de *petite mort*, mais toujours en lien avec l'orgasme. Je ne pensais pas avoir eu d'orgasme à ce moment. Je savais avoir occulté certaines informations, lors de l'écriture, sur mes crises d'hyperventilation. J'en avais fait quelques-unes avec Guillaume. Jamais avec les autres. Depuis que je voyais Sébastien, elles étaient plus fortes, plus angoissantes. Je savais que j'évitais des détails pour ne pas diriger le roman vers des lieux où je ne voulais pas aller.

⌣

J'étais aux toilettes quand elle a appelé. Je l'ai rappelée. Elle était en congé depuis quelques heures seulement. Elle serait à Dawson pour quatre jours avant de retourner au camp. Rapidement, je lui ai parlé de mon envie d'aller la visiter au Yukon. Je lui ai demandé s'il y avait de la place pour moi dans sa roulotte. J'étais prête à dédommager son employeur, au moins pour la nourriture. Je ferais le ménage, laverais la vaisselle. Je lui ai aussi dit d'en parler à son amoureux. Je ne voulais pas créer de conflit, même si je n'avais pas le profil type de l'ex qui débarque à l'improviste. Elle paraissait emballée par le plan. J'avais envie d'être seule. Je m'imaginais bien traverser le Canada en autobus avec mes écouteurs, mon ordinateur, des livres. Je me coincerais les genoux contre le banc d'en avant et je dormirais des heures. Je savais que le Yukon me ferait du bien. J'hésitais aussi à partir en Europe. Peut-être Prague. Prague, seule. Pour finir le livre. Prague ou Bruxelles.

Le mensonge dans la fiction est une stratégie utilisée.

Nous étions au bord du canal. Il était revenu de Bordeaux la veille. Nous avions eu une journée ponctuée de hauts et de bas. Plusieurs discussions difficiles sur l'avenir de notre mariage, sur les modalités de la fin, sur la possibilité d'une thérapie, sur mes problèmes, les siens, les nôtres, nos engagements, nos aspirations de couple. Nous parlions très calmement. Il fallait en venir à une conclusion, mais nous n'arrivions à rien. Je m'imaginais encore vieillir avec lui. J'avais un deuil à faire.

Nous étions près de l'enseigne de Farine Five Roses. J'essayais de parler de mon envie d'être seule, du défi que cela représentait.

J'ai réalisé que je n'avais pas écrit depuis plusieurs jours. J'avais failli aux règles du roman.

La fiction que je m'imposais pour écrire le livre m'avait engloutie. J'avais cessé de l'écrire et j'avais commencé à la vivre.

Il était tard. Guillaume dormait déjà à cause du décalage. J'avais reçu une capture d'écran de billets d'avion : Montréal – Barcelone, Bruxelles – Montréal. Neuf cent soixante-dix dollars pour le début septembre. Sébastien avait pris ses billets. Je devais me décider.

Je me suis couchée.

Guillaume m'a réveillée. Il a dit : j'ai mis la cafetière sur le rond, peux-tu garder l'œil ouvert le temps que j'aille à la fruiterie ?

Je me suis levée. Le café a sifflé. J'ai fermé le feu. J'ai pris ma douche. Je me suis habillée. Guillaume n'était toujours pas là. J'ai commencé à préparer mon déjeuner. Il est entré, a déposé des bananes sur la table, a mis de la musique. Deux toasts pour lui, deux toasts pour moi. J'ai hésité à me presser un pamplemousse. J'ai commencé à beurrer mes toasts. Les siennes étaient garnies ; beurre *vegan*, beurre de *peanuts*, bananes, graines de sésame. J'ai commencé à lui parler du voyage en Europe avec Sébastien. Il n'a rien dit. J'étais surprise. Je ne comprenais pas. Je pensais que nous aurions à en discuter. Puis, il a dit qu'il n'avait plus faim. Il s'est levé, a ramassé son sac et est sorti. Je suis allée pleurer dans le bureau.

Je marchais sur l'avenue du Parc en direction du port et je pensais à ce rêve qui datait déjà de novembre. Celui dans lequel j'allais avec Sébastien jusqu'à l'aéroport et nous nous embrassions. Toute cette histoire avait commencé avec ce rêve de voyage dans lequel je ne partais pas. Je l'accompagnais jusqu'à son départ.

Je suis rentrée dans l'appartement. Sur la table, il y avait toujours les deux toasts. Je me suis remise à pleurer.

⌣

Guillaume n'était pas revenu. Il était parti au chalet avec des amis. Il m'a textée : demain, nous allons parler.

J'ai appelé mon ex. Je pensais beaucoup à elle. Je pensais au courage qu'elle avait dû déployer pour me laisser cinq ans plus tôt. Nous avons parlé.

J'ai dormi.

Nous étions déjà le lendemain. Je ne travaillais pas. J'ai passé la journée à attendre. Il est arrivé. Étrangement, j'ai souri lorsqu'il est entré.

Ses toasts étaient encore là. Les bananes avaient noirci. Quelques mouches à fruit volaient autour de l'assiette. Dans mon premier roman, j'avais écrit un passage sur une tomate laissée dans le réfrigérateur par une ex et que le personnage principal n'osait pas jeter.

Longue conversation de deux heures. Aller-retour sur le sujet de la séparation. Revirement de situation, partage des meubles, possibilité de se remettre ensemble. C'était clair, il gardait l'appartement. Je devais aller ailleurs. Puis, il y avait le mariage de son frère la semaine suivante.

Et je ne sais plus trop comment, nous n'étions plus en train de nous séparer. Nous remettions ça à plus tard, peut-être.

J'avais prévu aller dormir chez Sébastien. Guillaume le savait. Je suis arrivée tard. J'avais acheté de la bière. J'en ai bu une. J'ai fumé une cigarette. J'ai occupé tout le temps de parole avec mes histoires. Nous sommes allés dans sa chambre. Nous avons essayé de baiser. Ça ne fonctionnait pas. Nous avons au moins beaucoup ri.

J'avais acheté un billet d'avion. Montréal – Prague, Bruxelles – Montréal. J'irais finir le roman en

République tchèque, puis j'irais à Berlin et je terminerais mon voyage à Bruxelles. Je serais seule parce que j'en avais besoin. Ensuite, je n'aurais probablement plus d'argent. Je reviendrais à Montréal. Et puis, je ne sais pas.

Pour le moment, j'étais chez mon ami Charles. Je gardais ses plantes et son chat. Je passais des journées entières dans le divan du salon. Je ne bougeais pas, ne me levais que pour aller à la toilette ou fouiller dans le réfrigérateur. Les livres et les vêtements s'amoncelaient partout autour. Des bouteilles de Perrier vides, des verres de thé glacé, des paquets de cigarettes, des pages gribouillées, des crayons, un oreiller, un drap. Il n'y avait que le chat pour me tirer de mon enfermement, quelques fois par heure, il venait me mordre le bras pour des caresses ou de la nourriture.

J'avais perdu la motivation pour ce projet de roman. J'arrivais au bout de l'expérience en me sentant faible et petite. J'étais lâche. J'avais rompu mon contrat d'écriture. Je n'irais pas au bout de l'histoire. Je réalisais que j'avais essayé d'utiliser les autres pour ma fiction. Je réalisais que personne, sauf moi, ne voulait être un personnage dans cette histoire. Il n'y avait que moi qui y trouvais satisfaction, à qui ça donnait un sens à la vie.

J'avais basculé de la fiction à la réalité. Je me retrouvais avec un amas complexe entre les mains, des pots cassés. Je n'avais pas envie de mentir pour autre chose qu'une ligne narratrice. Je n'y voyais aucun intérêt. Je sentais le projet avorté, ma réflexion rompue. Mon erreur avait été d'oublier que j'étais dans une fiction. J'avais forcé des sentiments, des retournements de situation et cela avait joué contre moi.

Alors j'évitais d'écrire. Je tournais en rond. J'angoissais.

⌣

J'ai envoyé le manuscrit à mon éditeur. Je n'ai plus envie d'écrire au passé. Je ne suis plus dans une fiction. Je suis dans une voiture en route vers Montréal. Je me filme encore. La caméra capte une version fatiguée de moi. Le stress m'empêche de dormir. Cette nuit, j'ai rêvé que mes éditeurs en poésie me laissaient tomber. Je me suis levée pour écrire. Je me suis recouchée une heure plus tard. J'attends aussi avec anxiété les commentaires d'Éric. Peut-être que le roman ne lui plaira pas. Si c'est le cas, je ne sais pas comment je réagirai. Énergie perdue. Je pars pour Prague dans huit jours. J'ai quelques possibilités d'hébergement.

Sébastien part en Europe six jours après moi. Il ira en Espagne et en Belgique. Je crois qu'il aimerait qu'une rencontre ait lieu. De mon côté, je n'en sais rien. J'ai peur qu'il n'y ait jamais de fin.

⌣

Me filmer en train d'écrire me permet de créer un moment. Je me prépare, je me maquille, je trouve l'angle idéal. Ça devient mon propre spectacle, ma mise en scène personnelle. J'aime mieux vivre dans une réalité virtuelle. Je ne tiens pas au réel. Je ne tiens pas au corps. J'aime mieux la fiction. Guillaume m'a dit : tu as de la difficulté à différencier le réel de la fiction.

Je le crois. J'existe dans le reflet de ma caméra. Les gens atteints par le trouble de dépersonnalisation/déréalisation se sentent détachés de leurs propres processus mentaux, ont une sensation de somnambulisme, d'étrangéisation de soi. Ils ont une tendance maniaque à s'auto-observer, à valider leur présence au monde. Ce roman répond au même mécanisme. L'écrire me permet d'ancrer ma présence au monde, me permet de me sentir vivante, me permet de bouger, de travailler. Sans le livre, je suis une coque vide.

⌣

À qui est-ce que je mentais ?

C'était quelques jours après mon arrivée chez Charles. J'avais besoin d'acheter un livre pour une amie. J'ai traversé la Petite-Italie, puis le Mile-End. J'ai fait un crochet par le Drawn and Quaterly. Le rayon poésie. Il y avait beaucoup de bons titres en anglais. Malheureusement, la libraire fermait la caisse. Je suis partie les mains vides. Je suis arrivée au RB. J'ai rapidement trouvé le livre que je voulais. J'ai pris un surligneur bleu. Sébastien m'a fait un rabais. Je suis restée jusqu'à la fermeture. Nous avons marché. Ses amis étaient dans un bar sur notre route. Nous sommes allés leur dire bonjour. Il y avait cette fille qui ne m'aime pas. Elle ne m'a pas regardée. J'étais mal. Nous sommes repartis. Chez Charles, nous avons pris de l'Oxycodone. Nous étions très calmes. Je suis allée le reconduire chez lui. Finalement, nous nous sommes chicanés. J'avais besoin d'éclaircissement encore une fois. Les réponses ne venaient jamais. Il n'a rien dit.

Nous n'étions rien et n'avions pas d'avenir. Je suis rentrée. J'ai très mal dormi.

Le lendemain, j'ai eu de la difficulté à trouver la voiture dans les rues de Villeray. Pendant un bon moment, j'ai pensé l'avoir perdue.

Je partais pour Prague le lendemain. J'étais extrêmement stressée. Je n'avais toujours pas de nouvelles de mon éditeur. Je ne savais pas non plus où j'allais dormir mardi soir. Avec Guillaume, c'était étrange. Je savais qu'il voulait qu'on baise. Je n'arrivais même pas à imaginer que ça puisse être possible. Je n'avais presque plus de désir sexuel. J'avais peur de *freaker out*. Je ne contrôlais plus mes crises d'hyperventilation.

J'étais dans un café à Montréal. Je dévorais une salade César *vegan*. J'avais l'air d'un animal. Je le voyais dans ma *webcam*. Portishead jouait.

J'étais à Prague depuis deux jours. Je dormais chez des amis d'amis. Leur appartement était situé dans Vinohrady. Je marchais beaucoup. Je rêvais toutes les nuits que mes éditeurs en poésie acceptaient mon manuscrit ou le refusaient. J'étais épuisée dès le réveil. J'attendais. J'attendais aussi des nouvelles de ce roman.

J'étais allée sur la tombe de Kafka. Je l'avais fait pour faire quelque chose. Je ne l'avais pas lu. Je n'aimais pas l'idée d'aller sur les tombes des gens.

Je réalisais que je n'aimais rien. Je marchais dans la ville. Je n'aimais rien. J'aimais seulement être devant mon ordinateur. Et j'aimais l'idée d'être en train d'écrire un livre. J'aimais l'idée que ma vie soit imprimée/gardée/archivée/photographiée.

Je n'arrivais pas encore à comprendre ce que j'étais venue chercher ici. Un alignement des planètes. Un peu de magie. Une fin pour un livre.

Prague, c'était la confirmation du roman, l'implication totale. Juste pour me prouver mon engagement envers le processus. Mais, pourquoi me le prouver par cela, un ailleurs idéalisé ?

⌣

Je cache de l'information. Je ne dis pas tout. Ce que je choisis de cacher est ce que je devrais le plus dire. Je sais ce dont il s'agit. J'hésite à l'écrire. Et, je sais surtout qu'il s'agit d'une partie du sujet de ce roman. Je tourne autour. Je n'ose pas l'approcher. Je ne trouverai probablement pas le courage pour m'y rendre. Pas maintenant. Pas dans ce livre.

⌣

Je venais d'arriver dans un nouvel appartement. Plus loin du centre, dans un immeuble communiste. En rénovation. De la poussière partout.

Ma chambre logeait à peine un lit de camp et ma valise. Pour ouvrir la fenêtre, je devais fermer la porte. Pour ouvrir la porte, je devais fermer la fenêtre. Pas d'eau chaude. Des fourmis. Je buvais du thé, mangeais des pêches saturne et du gruau. Dormais mal.

Depuis le début, je savais que j'irais rejoindre Sébastien. Je le cachais. Je le cachais même dans mon roman. Le quinze septembre, nous serions ensemble. Pour l'instant, j'étais seule à Prague. Nous étions le quatre, presque le cinq. Je rêvais de me payer un billet de retour vers Montréal. De m'extirper de cette relation. Encore. Je ne comprenais plus pour quelle raison j'avais choisi de mentir à Guillaume.

Je sentais le besoin de justifier ma posture littéraire, mon choix d'écrire une autofiction en 2016, surtout dix ans après Nelly Arcan.

Dans un sens, ça allait de soi. C'est ce que je préférais lire, ce qui me touchait. Pas nécessairement l'autofiction, mais les récits de l'intime, ceux qui débordaient de l'espace du livre. Pas de figuration, pas de représentation. Écrire des personnages n'avait plus vraiment d'attrait. Inventer des vies, pour quoi faire ?

J'avais parlé avec Guillaume sur Skype. Je lui expliquais que j'avais l'impression de m'être dédoublée. Une partie de moi pour vivre, l'autre pour la regarder vivre. Je m'étais questionnée sur la possibilité d'un trouble dissociatif de l'identité. Peut-être dû à un traumatisme. Je cherchais des mémoires refoulées. Pas facile de récupérer le refoulé. J'étais aussi un peu hypocondriaque à propos des maladies mentales. Hypocondriaque, paranoïaque ou attentive aux détails, à la dégénérescence de l'esprit, à mes pertes de contrôle, à mes moments d'absence. Je me sentais glisser hors de moi. Je disais : j'ai viré *weird*. Ça voulait dire que j'étais sur le bord d'une falaise. Ça m'arrivait parfois. Surtout en période de solitude. Difficile de ne voir personne, de rester cloîtrée dans l'appartement. Je pensais à Mathilde, personnage de mon premier roman. La spirale. L'enfermement rend fou. Le roman me rendait folle.

Il m'a appelée en rentrant de la plage. Il était six heures trente du matin à Prague. Six heures trente du matin à Barcelone aussi. Le soleil se levait. J'ai dit que j'avais envie de rentrer à Montréal. Il ne comprenait pas. Nous avons parlé longtemps.

Avons convenu de nous rappeler le lendemain. J'ai dormi un peu.

Il a appelé dans l'après-midi.

Je voulais arrêter de le voir. Préserver notre histoire d'une mort lente. Pas de vie, pas de mort. Un rêve.

⌣

Vltava est belle l'après-midi. Vltava, du germanique ancien « wilt ahwa », qui veut dire eau sauvage. Je m'allonge. Les touristes ne me voient pas, regardent les statues sur le pont, bien affairés à leur appareil-photo ou leur téléphone. Je préfère l'invisibilité. Je ne rêve plus d'être une femme. Je suis une créature magique, un monstre marin. Je suis déçue. J'ai taillé mes dents en pointe. J'en ai fini avec le rêve. Je mords. Je tue. Une puissance destructrice. Un mythe. Un démon intérieur. Plus rien de l'héroïne romantique.

Je laisse le soleil me couvrir. Je regarde le ciel tourner.

⌣

Peut-être que mon intérêt pour les écritures de l'intime est dans la rencontre de l'autre. Sans façade ni mensonge. Une proximité impossible autrement. Parce que l'auteur ne peut pas mentir s'il veut réussir son roman. Un huis clos de l'âme. Un entretien privé. Ce qui se rapprocherait le plus de l'idée d'entrer dans l'autre.

Puis, finalement, il n'y aurait que la littérature pour me permettre de sentir un peu de complétude. Que la littérature. Et si j'étais dans cette chambre minuscule dans Letna, sans eau chaude et infestée de fourmis, si j'avais froid, si je pleurais, si je ne quittais pas Prague, ce n'était pas à cause de Sébastien. C'était parce que je voulais écrire un roman. Depuis le début, j'avais voulu écrire un roman.

Maude Veilleux a fait parler d'elle

pour son roman *Le vertige des insectes*

« Maude Veilleux nous offre un récit troublant, une lente implosion d'un personnage qui vit le départ d'êtres chers. Au cœur de son appartement, Mathilde dépérit, remet tout en question. Au centre de cet univers, l'absence, qui se traduit par un secret qu'elle se retient de partager au départ et qui la consume tout au long de ce roman. Cette déprime se glisse dans le texte, qui évite les clichés et la lourdeur des dérives émotionnelles qui l'agitent et la figent. Des émotions à fleur de peau qui, comme pour ses amis, laissent le lecteur en périphérie, incapable de percer la carapace dans laquelle se cloisonne la jeune femme. Ce premier roman d'une écriture fluide va à l'essentiel sans se perdre dans les méandres du pourquoi et du comment (ce qui déstabilise parfois, comme dans le mouvement final). La métaphore de la main de fer dans un gant de velours s'applique pour ce récit intimiste. Le résultat ne laisse pas le lecteur indemne. »

Jean-François Villeneuve, *La Presse*

« Un roman dense, réussi. Un monde vous aspire et vous broie. Maude Veilleux place les éléments du piège et le lecteur est cerné peu à peu. La fin ébranle, surprend, vous fige. Des atmosphères, des déplacements tectoniques qui remuent les profondeurs et broient l'être. Un véritable jeu d'échecs où tous les éléments poussent vers l'inéluctable. Un drame qui donne des frissons dans le dos, écrit avec délicatesse. »

Yvon Paré, *Littérature du Québec (blogue)*

« Profondément émouvant, ce premier bijou de l'auteure ne saurait être plus unique et mémorable. *Le Vertige des insectes* est un texte tout à fait singulier dans lequel Maude Veilleux confronte avec force le lecteur au désarroi de Mathilde. L'auteure nous fait passer par une grande gamme d'émotions, avant de nous laisser sur une impression puissante. »

Jean-François Lebel, *La bible urbaine*

« Il est toujours plus facile d'aimer un personnage qui possède une joie de vivre mais il n'était pas nécessaire d'aimer Mathilde pour la comprendre. Comme lectrice, je n'ai pas seulement lu ses états d'âme, je les ai ressentis aussi. J'ai été troublée lors des moments où elle perd furtivement contact avec la réalité. Il faut que l'auteure ait du talent pour arriver à un tel résultat. Comme avec le roman *L'orangeraie* de Larry Tremblay lu récemment, je suis ressortie de ma lecture ébranlée. »

Les lectures de Marguerite (blogue)

H
h a m a c

Dans la même collection

Juste la fin du monde
Jean-Luc Lagarce, 2016

Déterrer les os
Fanie Demeule, 2016

Le bleu des rives
Marie-Claude Lapalme, 2016

Autobiographie de l'enfance
Sina Queyras, 2016

Quand le corps cède
Madeleine Allard, 2016

*Méchantes menteries
et vérités vraies*
Jean-Pierre April, 2015

Rose Envy
Dominique de Rivaz, 2015

La même blessure
Emmanuel Bouchard, 2015

*Splendeurs et misères
de l'homme occidental*
Pierre Gobeil, 2015

Monstera deliciosa
Lynda Dion, 2015

Histoire d'un bonheur
Geneviève Damas, 2015

Les bonnes manières
Geneviève Damas, 2014

Saccades
Maude Poissant, 2014

Le Vertige des insectes
Maude Veilleux, 2014

La Maîtresse
Lynda Dion, 2013

Le Mouvement naturel des choses
Éric Simard, 2013

Passagers de la tourmente
Anne Peyrouse, 2013

Si tu passes la rivière
Geneviève Damas, 2013

La Baleine de parapluie
Stéphane Libertad, 2012

Un léger désir de rouge
Hélène Lépine, 2012

Chaque automne
j'ai envie de mourir
Véronique Côté
et Steve Gagnon, 2012

L'Hiver à Cape Cod
Pierre Gobeil, 2011

Depuis les cendres
Emmanuel Bouchard, 2011

La Dévorante
Lynda Dion, 2011

Déjà
Nicolas Bertrand, 2010

La Pureté
Vincent Thibault, 2010

La Trajectoire
Stéphane Libertad, 2010

Être
Éric Simard, 2009

La Louée
Françoise Bouffière, 2009

Au passage
Emmanuel Bouchard, 2008

Enthéos
Julie Gravel-Richard, 2008

La Deuxième Vie de Clara Onyx
Sinclair Dumontais, 2008

Entièrement consacrée à la fiction,
Hamac propose des textes
profondément humains qui brillent
par leur qualité littéraire.

Si vous avez aimé celui-ci,
nous vous invitons à découvrir
les autres titres de notre catalogue.
Ils vous plairont sûrement.

Pour soumettre un manuscrit ou obtenir plus d'informations,
visitez le site www.hamac.qc.ca

Hamac est dirigé par Éric Simard.

Vente de droits

Mon agent et compagnie
Nickie Athanassi
173 et 183 Carré Curial
73000 Chambéry, France
www.monagentetcompagnie.com
help@monagentetcompagnie.com

Tous les livres de Hamac sont imprimés sur du
papier recyclé, traité sans chlore et contenant 100 % de fibres
postconsommation, selon les recommandations d'ÉcoInitiatives
(www.oldgrowthfree.com/ecoinitiatives).
En respectant les forêts, Hamac espère qu'il reste
toujours assez d'arbres sur terre pour accrocher des hamacs.

PROTÉGEONS
NOS FORÊTS

COMPOSÉ EN ARNO PRO CORPS 13
SELON UNE MAQUETTE RÉALISÉE PAR PIERRE-LOUIS CAUCHON
CE TROISIÈME TIRAGE A ÉTÉ ACHEVÉ D'IMPRIMER EN DÉCEMBRE 2016
SUR LES PRESSES DE L'IMPRIMERIE MARQUIS
AU QUÉBEC
POUR LE COMPTE DE GILLES HERMAN
ÉDITEUR À L'ENSEIGNE DU SEPTENTRION